我们游向北京

唐缺 著

人民文学出版社

图书在版编目（CIP）数据

我们游向北京／唐缺著．—北京：人民文学出版社，2013

ISBN 978-7-02-010037-8

Ⅰ．①我… Ⅱ．①唐… Ⅲ．①长篇小说—中国—当代 Ⅳ．① I247.5

中国版本图书馆 CIP 数据核字（2013）第 177136 号

责任编辑　涂俊杰　文　珍
美术编辑　李思安
责任印制　苏文强

出版发行　人民文学出版社
社　　址　北京市朝内大街 166 号
邮政编码　100705
网　　址　http://www. rw-cn. com

印　　刷　北京新魏印刷厂
经　　销　全国新华书店等

字　　数　175 千字
开　　本　880 毫米 ×1230 毫米　1/32
印　　张　8.75　插页 1
印　　数　1—10000
版　　次　2013 年 9 月北京第 1 版
印　　次　2013 年 9 月第 1 次印刷

书　　号　978-7-02-010037-8
定　　价　28.00 元

如有印装质量问题，请与本社图书销售中心调换。电话：01065233595

目 录

一切为了丈母娘

据说梦境可以反映现实的焦虑。以陈非为例，当年面临着大学可能毕不了业的危机时，他虽然成天都带着满脸不在乎的笑容，夜间做梦却一次次坐在考场上，面对着一张张完全看不懂的试卷和监考老师没有五官的脸，直到汗流浃背地在宿舍里惊醒为止。此梦一直延续了若干年，即便他最终毕业并且拿到了学位证，那种面对考场的焦虑也始终盘旋在潜意识里。

这个梦后来终于消失了，不是因为陈非不再焦虑，而是因为有了更值得焦虑的对象。他不再梦到考场，而是梦到女友苏小麦的家。这个家里的一应陈设在不同的梦境里有不同的表现形式，唯一不变的是坐在扶手椅上的苏小麦的老妈，也就是人们俗称"丈母娘"的那种生物。

丈母娘有时候坐在阳光下，有时候坐在黑暗中，有时候让一道侧光打在半边脸上。无论哪种姿态，都带有天然的威势。陈非每次都像一个被按倒在大堂上的小贼，面对着身前的杀威棍，浑身战栗面如土色。但正如杀威棍躲不过去一样，丈母娘同样躲不过去。

"来者何人，报上名来！"丈母娘不紧不慢地说。

"末将陈非，现居京城，愿娶苏家小姐为妻。"陈非跪在地上，干巴巴地说。

"京城居大不易，可有房？"丈母娘继续慢条斯理地问。

"没有。"陈非惭愧地摇头。

"那还谈个屁！"丈母娘骤然暴怒。

全部对话到此为止。接下来丈母娘就会拍拍手，一群如狼似虎的家丁扑将上来，棒打脚踢、水淹火烧，直到陈非满头大汗地醒来，重新回到 2010 年的真实世界。身边已经不再是宿舍，而是比宿舍还要狭窄的出租房；身边也没有了当年的舍友，而只有空荡荡的房间。而丈母娘的话语会一直在他的耳边转悠，比夏日的蚊蝇更加坚韧。

没房。那还谈个屁。没房。那还谈个屁。无论再做多少次梦，都是这几句万年不变的经典台词，就好像大学时代的梦境里，到了最后卷子上总是一片空白一样。陈非活在北京城，陈非没有房，这两个简单的事实让丈母娘变成了比考试还要可怕的东西，一次次填充着他忧虑不安的梦境，形成一个解不开的死循环。

那一年夏天，陈非的朋友杜愚跨坐在十四楼的窗台上，准备往下跳。陈非声嘶力竭地试图劝阻。短短的几分钟里，无数念头在陈非的头脑里飞舞交织，却织不出一句足够分量可以劝说杜愚退回来的话。他恍恍惚惚地觉得梦境和现实重叠在了一起，好像窗台上的不是杜愚而是他自己。丈母娘飘在十四楼的高空，带着慈祥的笑容望着他，目光中充满了煽动，竟然让他生起了"我是不是也该一块儿跳下去"的错觉。

脚下，北京城坚硬的土地沉默着，耐心地等待着他们。

这座城市就像一张血盆大口

　　陈非的朋友杜愚毕业后在一家主营冷鲜猪肉的食品公司工作，几个月后被炒了鱿鱼，因为他没能向北京城大大小小的餐厅推销出哪怕半片猪肉，已经快要交不起房租了。陈非建议他，除非家乡有个青面獠牙的童养媳正在等着他，否则还是回家吧。

　　陈非向杜愚列举了北京的种种坏处：春天的沙尘暴，夏天的高温，秋天的飞虫，冬天的严寒。这座城市大得让人找不着北，在这里买车唯一的目的就是在路上堵着，不买车唯一的选择就是在公车和地铁上挤着。这里一年四季总是开着各种各样的会，所以说不定什么时候就会有人来查你的暂住证。这里有着牛得不行的司机和横得不行的服务员，有着尽职尽责到令人发指的居委会大妈，当然最最最最重要最致命的是，还有贵得离谱的打着滚往上翻的房价。这座城市就像一张血盆大口，把无数的青春和梦想吞进肚里消化干净，排出无人怜悯的残渣。陈非建议杜愚，趁现在他还没变成残渣，赶紧逃离北京，还能落个全尸。

　　这番话说得声情并茂声泪俱下，说到最后连陈非自己都要相信了。杜愚半天不语，趁陈非喘气喝水的工夫，回了他一句：就算是残渣，也是北京的残渣。这话的潜台词是，北京就是北京，和别的地方不一样，被北京消化过一次兴许也能镀上点铀235。杜愚要留在北京，守在北京，赖在北京，不成残渣终不悔。

说这番话的时候，两人坐在东五环外的一间羊蝎子店里，面前摆着还在咕嘟嘟冒着气泡的铜锅。桌子上油迹斑斑，新滴的汤水和旧年的残迹混合在一起，泛着光鲜的色泽。陈非看到油光可鉴的桌面上清晰地映出杜愚愁苦的脸。这张脸上写满了失意与悲哀，像十二月北京城的日出一般萎靡不振，笼罩着一层灰蒙蒙的阴云。这张脸和杜愚脸上茁壮生长的雀斑一道，深深地刻在了陈非的记忆中。

如果需要更详尽的细节的话，还可以做如下补充：那时候是五月，北京的阳光已经慢慢开始毒辣起来，并且透过羊蝎子店的窗户照了进来，正好照在他们所坐的桌子上。陈非透过阳光中飞舞的尘屑，观察着杜愚。店里生意清淡，服务员们大多在打盹或聊天，只有一个还强打起精神随时听候顾客的召唤。与此同时，窗外车流滚滚，不能进入四环的残疾人助力车在街道上见缝插针，灵巧得如蟑螂，人们行色匆匆，从一条街走向下一条街，从一个公车站走向另一个地铁站。在陈非试图劝退杜愚的过程中，北京城仍然行走在它平稳的轨道上，大树般骄傲地生长，类似杜愚这样跟不上趟的藤蔓难免都被抖落下去，摔在泥里。每一天都有无数这样的藤蔓摔下去，然后有更多的新藤蔓怀着野心搭上这棵树。这

5

就是北京，从不为谁而停留，从不赐予谁怜悯与温情。

陈非不停喘气，不停喝水，说到最后一拍桌子："对牛弹琴！老子不说了！"杜愚也如释重负地长出一口气，老老实实地说："其实你说的我也没怎么听得进去。"于是两人开始闷头吃羊蝎子，偶尔说两句无关痛痒的闲话。

陈非后来也就不去劝杜愚了，一方面是因为他黔驴技穷，另一方面因为他也一直留在北京，守在北京，赖在北京，被北京消化着，缺乏现身说法的力度。虽然不可否认他比杜愚混得好一些，但终究两人都属于同一阶级，区别无非是地主家的短工与长工之分罢了。

每天清晨的时候，闹钟响过三遍，长工陈非跳下床，花三分钟穿好衣服，把女友苏小麦替他事先打好的领带往脖子上一套，冲出门去，等到了单位才发现忘带家门钥匙了，于是拍拍头喊一声"糟糕"。有时候他忘带的是手机，有时候是钱包，还有时候下楼两分钟后，他又忧郁地喘着粗气走回家，因为刚从七楼跑到一楼，他就发现楼门口的自行车仍然堵得那么销魂，赵飞燕也得卡在里边。这些沉静的自行车说明今天是周末，而自己又忘记取消闹钟了。陈非没有胆量把这种忘记归咎到苏小麦过于冗长的午夜电话上，只好再拍拍头，怪自己健忘。

假如发生了误起事件，周末的早晨对陈非而言会很难熬。按照那些专骗傻子的保健品广告的描述，陈非属于典型的亚健康加神经衰弱，具体症状是想醒醒不来，醒了就不能再睡，躺再久也只能睁着眼在床上骂街。而骂街是费体力的事儿，骂完后他就会换上T恤拖鞋在屋里觅食。

冰箱里有两袋早餐奶，已经过期大概一个月，细菌正在其中疯长。另有几片面包，呈现出喜人的嫩芽新绿色。昨晚吃剩的半份炒饼倒还符合食用标准，但睡了一夜外加上下七楼后，陈非的唾液腺已经开始罢工。最后他只能拆了一袋方便面，扔在锅里煮。这口汤锅自从买回家后，煮过各种不同口味的方便面和速冻饺子，没有煮过的是方便面和速冻饺子之外的任何东西，整口锅的色泽和方便面袋上的"图案仅供参考"一样光鲜可鉴。陈非相信，浸透了防腐剂的这口锅会和浸透了防腐剂的自己一样百年不朽。

面里加了香油，吃得陈非唉声叹气，吃完后还意犹未尽地喝光了面汤，这时候对门房间的门被推开，李萌打着呵欠从门里钻出来，睡衣照例一年四季前后穿反。遗憾的是她前后差不多平坦，陈非也没什么眼福可饱。这种男女混居在过去的年代里难免让人想入非非，但在现在的城市里，再没有比这更寻常的事了。简而言之，要想省钱，就甭在乎什么想入非非。

"今天要加班？"陈非问。周末的李萌具备树懒的一切属性，倘若她竟然在下午一点之前起床，通常只意味着一件事。

"命苦啊，资本家的血债迟早要用血来偿。"李萌嘴里叼着牙刷，含混不清地说。

"咱俩都在国企好不好？要找资本家还得再往下走两层楼，成天被我们踩在脚下。"

"没什么区别，吸血鬼还分国营私营？"

李萌和陈非在同一家大型国企，但分属两家业务不同而关系还算密切的分公司，好比同一个母亲的众多子女，正是这种关系让两人住在了一起。然而李萌的公司有钱，陈非的公司没钱，这种区别直接体现在了房租上。两人住的两室一厅是单位替他们找的并负担房租，李萌房间大，房租多两百块。陈非的房间虽然少掏点钱，但是除开床、简易衣柜和墙角的电脑桌，走在剩下的空地上需要跳芭蕾。

但陈非已经很知足了，并且认为自己比起其他几个朋友已经算够走运。在北京，能一个人在五环内住上独立的单间，已经可以贴个标签写上"上等人"三字。比如他到过胡二住的地方，一把锥子立进去都会嚎啕大哭；比如他曾在杜愚的宿舍借宿过一夜，那里的人口密度让他一晚上都有缺氧的感觉，并且不断做噩梦梦见自己回到了军训基地的宿舍；比如他参观过王小骚的地下室，出来后就真诚地建议王小骚利用得天独厚的地理条件走上培养蘑菇的致富之路。

但和杜愚一样，胡二和王小骚还是不肯离开北京，同样的许多人也不肯离开北京。这就是狗日的人生，陈非时常想，无论怎样前路迢迢，在找到正确的方向或者把屎尿都摔出来之前，唯一的选择就是继续走下去。精子游向卵子，我们游向北京，这一切不容改变，不容拒绝，不容置疑。

吃完面后不久，邻居家开始装修，大锤砸得有如起重机，陈非觉得整栋楼都在七级地震中颤悠悠。挨到下午，地震缓缓止息，才终于小睡了片刻。这一觉非睡不可，因为苏小麦晚上要过来陪他度周末。

苏小麦是这样一个姑娘：她走起路来双脚总是同时离地或者同时不离地，父母曾捶胸顿足为什么当年没送她去学蹦床，不然没准儿今天也能去奥运会搏枚金牌什么的。她好像从来不知道世界上存在电话费这种东西，随身常备着七八块电池随时更换。她每天上班打卡，考勤记的不是她每月迟到几天，而是每月有几天没有迟到。她自称会做饭，但在陈非那里唯一做过的是把土豆、洋葱和牛肉切碎了下锅，然后狂放咖喱粉。有一次一个印度阿三到这个单元来租房子，正碰上苏小麦做菜，他在楼道里当时就泪如泉涌，坚决地不肯租那套房。

"我不能住在这里，"印度阿三眼泪汪汪地说，"太让人想起家乡的气味了。"

除了和咖喱有仇外，苏小麦甚至不会煲汤，所以跳进过陈非汤锅的到现在也还只有速冻饺子与方便面。陈非时常想，除了都不会做饭之外，自己和苏小麦的性格完全是一个在天一个在地，一个在苹果园一个在四惠东，不知道怎么的就凑成对儿了。两个人手牵着手走在街上的时候，一个总像在思考世界缺水问题，另一个则像是在用行动解释世界下降的水位都升哪儿去了，不需要配一句台词就是活生生的春晚小品。

男人一生要积累很多经验，等女人就是其中之一。陈非在这一点上就很有经验，苏小麦说她会在六点钟到，陈非据此估算她的实际到达时间至少在八点半之后，所以先把冰箱里的炒饼吃掉垫垫肚子。李萌还在加班，加完班也未必急着回来。事实上，李萌经常在周六晚上夜不归宿，也不知她去了哪里打发时间，理由是给陈非和苏小麦腾出点活动空间。这套四十来平米的两居室隔音效果很差，这一边说着悄悄话，另一边听得比装了窃听器还清楚。而苏小麦是那种肆无忌惮的人，或者说确切一点，她是那种甚至意识不到自己活在肆无忌惮中的人。

吃炒饼只能抵销掉很小一部分等待时间，所以陈非还需要玩会儿网游。网游就是一种能令时间变短的神器了，可以把等待女友的时间压缩到最短，陈非觉得自己刚刚做了两个任务，苏小麦就已经两脚着地蹦进了门。他站起身来，准备替苏小麦接过手里的东西，苏小麦却一眼看见了屏幕，毫不犹豫地扔下东西，一脚踢开陈非，以迅雷不及掩耳之势坐了下来。

"老娘要杀人！"苏小麦宣布着，"去给我倒杯水来！"

陈非叹了口气，乖乖倒了水，坐在一边吃苏小麦带来的外卖，看苏小麦"杀人"。玩网游的苏小麦，与义和团刀枪不入的大师兄们或是两伊战争时以身蹚雷的伊朗士兵们有异曲同工之妙，她从来不惧怕，也不在乎被别人杀死，只要对方有一次躺倒了，她就会十分满足。有时候遇到一个死活杀不死的厉害对头，苏小麦一次次前仆后继，陈非在一旁难免想起那个猎人入山猎熊的荤笑话：大哥，你是来打猎的还是来××的？

苏小麦兴致勃勃，一小时内歼敌十一人次，付出的代价是躺倒五十七次，躺倒的数字比平时要高出不少，说明苏小麦兴致勃勃的外表下潜藏的是心不在焉。而这世上能让苏小麦在玩网游时还分神的事情不多，陈非一下子就猜到了。

“你妈又要来看你了？”陈非问。

苏小麦操纵的角色又一次躺倒在地。她选择了回城复活，然后断线。苏小麦转过脸来，脸上每一寸皮肤都写着“不耐烦”三个字。

“不要总在老娘高兴的时候提扫兴的事儿。”苏小麦瞪着眼说。

“你本来就满脑子想着这事儿，”陈非说，“往常你一小时最多死四十次，今天死了五十七次。”

苏小麦张了张嘴，好像要骂人，忽然就开始哭。这是典型的苏小麦，哭与笑之间毫无过渡，比北京城的沙尘暴来得还快。

“烦死了烦死了烦死了！”苏小麦边哭边说，“最烦老太婆过来，除了数落还是数落，典型的狂躁人格。”

“至少狂躁人格还给你做饭收拾房间嘛。”陈非安慰说，这是他想了很久才想起的老太婆唯一的好处。老太婆不在的时候，苏小麦的房间连狗都嫌弃。陈非尝试着给她收拾过一两回，后来就不肯做无用功了，苏小麦弄乱房间的速度比嫦娥号奔月还快，并且先天患有一种被陈非叫作“平面占领综合症”的怪病。这种病一旦发作，就会觉得一切光秃秃的平面——比如桌子、椅子、茶几、衣橱顶部等——都看起来无比别扭，一定要把这些平面摆满了东西才会觉得呼吸顺畅。

“我的房间不用收拾，东西藏在哪儿不要紧，反正迟早能翻出来，”苏小麦的嘴一直噘到了天花板上，“她又要催结婚怎么办？我往哪儿藏？"

这是个麻烦的话题，每碰一次都像甲沟炎发作。苏小麦平时没心没肺，说起老太婆催结婚就情绪低落，杀人效率直线下降，做饭放双倍咖喱，吃得陈非的舌头三天没有知觉。但老太婆催结婚和太阳东升西落、大雁南飞、臭氧层破洞一样，都是无法避免的自然现象。

陈非躲不掉这种自然现象，去年已经和老太婆见过一面。称老太婆其实纯属泄愤，苏小麦的娘气度优雅、保养得当，看上去比实际年龄至少年轻十五岁，陈非送其尊称为"太后"。苏小麦虽然气度和其母截然不同，但在显得年轻方面比较接近。只是五十岁的女人和二十五岁的女人各自年轻十五岁，效果截然不同，前者叫风韵犹存，后者叫苏小麦。

"她老人家什么时候召见我？"陈非问，"要不要先挑个黄道吉日？我要不要沐浴焚香？"

"德行！"苏小麦踢了陈非一脚，"她得先收拾我的狗窝，完了就来收拾你。"

"要收拾完你的狗窝至少需要三天，"陈非若有所思，"我们还有三天商议对策。"

"忘了告诉你，她是三天前来的，所以今晚就能收拾完，"苏小麦说，"说不定就是明天。明天你哪儿也不许去，随传随到。"

"喳，"陈非一躬身，"太后万福！"

倒在推土机下的青春

苏小麦经常捏着陈非富于弹性的肚腩，一脸的百思不得其解，"这孩子怎么养的？四月肥也催不到那么快啊。"陈非自己也很难解释，看着镜子里那个食人生番般的大胖子，他自己都奇怪不已：从小在老家被爹娘伺候种马一样精细地喂养着，始终都是副骨头架子，到了北京粗衣糙食反而越来越胖，割几片肉下锅压根不用放油。尤其近几年，时光就像一个打气筒，往自己这个皮球里猛灌氢气，蓦然回首处，皮带上的眼已日渐阑珊。

过去可不是这样的。陈非小时候身体瘦弱，小学五年级时，和二年级小孩抢乒乓桌，被打得满脸开花，创下该小学以小搏大最悬殊的纪录，至今无人超越。二年级小孩的老娘脾气暴躁，听说儿子和五年级学生打架，当即甩掉高跟鞋，磨尖了指甲狂奔到学校，原本打算和陈非的家长拼命。到校后听说儿子居然是胜方，立马转嗔为喜，"好儿子，够他妈的争气。"后来她赔医药费的时候都一脸正气凛然的微笑，新闻联播里我国援助西非饥民时官员们都那么笑。

那天晚上碰巧陈非父亲的一位老战友来访，看见陈父一

13

脸黑气，惊问何故。陈父含羞带忿，讲述了陈非的英勇事迹，听得老战友乐不可支，"你们这里水土太温润，养出的小孩都跟小鸡子似的。要我说，小孩就得搁在我们北京养，保证个个都是人物。"

陈父听了很不服气，"别说得你们北京跟空气里都飘着生长激素似的。"

"不用生长激素，有公车就够了，"老战友说，"北京的小孩儿只有两个出路：要么挤上公共汽车，个个练得钢筋铁骨碾子都压不扁；要么挤不上公共汽车，每天只能跑着回家，过上几年就是马拉松的人才。"

最后这段台词纯属虚构，因为北京在陈非小时候还远没有那么多人，陈非认识的北京朋友也总爱半开玩笑地抱怨"你们外地人来了北京就变挤了"。但许多年之后，各种虚假和真实的记忆交错在一起，已经足够让人混淆段子和事实。后来陈非给人讲起这个故事时，也总是这样讲：他已经忘记了当年自己脑袋上到底缝了几针，也忘记了事后父亲罚自己往作业本上抄了多少遍"锻炼身体保卫祖国"，唯独对那位老战友的话记忆犹新。那时候北京城给他的印象就是一条长得望不到尽头的马路，马路上跑着无数公车，公车里面挤满了胳膊比他大腿还粗的能保卫祖国的小学生。而另一群小学生小腿比腰还粗，他们会紧跟在每一辆公车的屁股后面，一路闻着黑烟跑回家，边跑边唱"让我们荡起双桨"。陈非心目中的首都小学生只分这两种类型。

后来陈非自己来到了北京，自己经常在公交车站冲锋陷阵，此类美好的想象立即荡然无存，那些手里揣着铁蛋如狼似虎的本地大爷大妈、绝经期的狂躁人格中年妇女、穿着廉价衬衫满头过期摩丝味儿的小白领占据了本该属于祖国花朵们的位置，比拼着外功内力。上车前的功夫属于外功，类似武侠小说中的凌波微步、金钟罩铁布衫和九阴白骨爪的合体，用来拨开汹涌的人流杀出一条血路；上车后的功夫属于内功，在司机"收腹！提臀！再来一个！"的指挥声中，体现出缩骨术般的效果。到了这时候陈非总是禁不住想，要是把在北京乘公交的人群集体空降到加沙地区，那块地盘就没以色列人和巴勒斯坦人什么事儿了。

唯一的例外出现在那年春夏之交，某场众所周知的疫病横扫了北京的公交系统，像倾倒猫砂一样把公车和地铁倒了个干干净净。当时陈非正在航院里无聊地等着毕业滚蛋，疫病反而带来了一些趣味。比如他喜欢来到校内超市，站在人群后面咳嗽二十秒钟，咳完一看前面已经没人了，收银员以刘胡兰面对铡刀时的眼神悲壮地看着他，口罩下的嘴唇不住颤抖。比如他喜欢来到学校的围墙附近转悠，偶尔做出几个逼真的攀爬动作，唬得在远处偷窥的校园巡查队一阵阵兴奋，却始终等不到他爬上墙的那一刻，那种感觉就好比看《十面埋伏》，章子怡一次次地被扑倒在地，呈现在镜头前的却除了肩胛骨还是肩胛骨，真是让人心痒难搔。后来疫病结束了，校园巡查队体检时至少都是窦性心律不齐。

疫病带来的另一点快乐是校方取消了本科毕业答辩，以免出现众人济济一堂导致病毒乱窜的场面，这一决定令临近毕业的人们丧失了最后一点做人的尊严。他们只需要炮制一篇论文交货，前人的行话是剪刀加糨糊，科技时代则只需要鼠标加打印机。陈非开学时从网上扒了十多万字的资料，每次例行与导师碰面的时候，就挑出几千字打印出来，导师十分满意，连夸陈非态度认真，碰了几次面后干脆告诉陈非："我对你很放心，以后不用来了。"于是陈非手里剩下的资料无处使唤，后来费了老大劲才删到两万字，正好充作论文交差。

除此之外，大学的最后一学期很长，还有许多时光需要打发。有人想在离开大学前谈一次恋爱，有人想在离开大学前结束手里的恋爱。有人发现没有考试了，于是很失落；有人发现还有数不清的补考和重修，但已经没有数不清的学期可以去磨蹭，于是很惶恐。

陈非很惶恐，因为他的大学物理从大一拖延到大四，连补考带重修见了七八个不同的监考老师，最高分是三十七分。最后一学期开学时，陈非在校园里著名的腐败楼设宴，请自己的朋友胡二暴撮了一顿。这顿鸿门宴之后，他和胡二回到宿舍，用小刀裁开自己准考证的塑料膜，撕下照片，换上胡二那张比果子狸还尖的瘦脸。然后陈非带着准考证去学校里的冲印社，重新压膜。一周之后，胡二以陈非的身份替考成功，解了陈非的后顾之忧，让他可以每晚就着宿舍走廊里自动售货机的微光通宵斗地主。此后的七八年里，每当陈非把胡二介绍给别人，总是这么说："这是我兄弟，我能活着离开大学全靠他救命。"旁人不明真相，往往以为胡二捞起了落水儿童陈非，或是胡二拯救了遇盗美女陈非，又或是胡二往医院送了危重病人陈非，于是对胡二肃然起敬。

胡二毕业后以那次替考为发端，走上了职业枪手的道路，一年里总有七八张各式各样的准考证上贴着他的尊容。而陈非被他拯救后大彻大悟，找了个发送垃圾邮件的程序在网上狂发简历，疫病结束时成功捞到面试机会。面试前一天，他到校内重庆小吃要了一碗麻辣米线，不小心多放了两勺辣椒，第二天起床嗓子很不舒服。他穿着借来的西装来到面试地点，说话尽量缓慢，嗓音低沉，并且能用五个字结束的句子绝不说到第六个字。面试方经过比较筛选，认为陈非成熟稳重，概括总结能力极强，颇有一针见血的风范，遂与之签约。这件事后来成了一段传奇，重庆小吃的日营业额上涨百分之三十。

一年后陈非回到航院故地重游，发现重庆小吃拆了，二十四小时小吃店（该小吃店全是风骚的女服务员，被称为尼姑庵）拆了，结巴新疆大叔的烤肉摊拆了，天天都没臊子只供应鸡蛋面的臊子面馆拆了。除了数十年如一日堵在东门口破口大骂的东门大汉，这所学校的每一处都在修修补补破破烂烂中折腾着，连自己过去的旧宿舍都被推平，起了一座气势不凡的新宿舍。陈非在宿舍门口往里张望，希望能看到当年那个和自己关系不错的徐娘半老的女楼管，但该楼管已消失无踪，一个一看就患有严重更年期综合征的大妈正对他虎视眈眈。

俱往矣，陈非想，我们的青春也和北京城一样，不断在拆掉旧的、毁掉更旧的。当年的传奇早已随风而逝，在推土机下呻吟。校园里那一张张鲜活的新面孔，走着自己过去走过的老路。我们游向北京，并且不知道未来会游向何方，生存与毁灭的几率各半，或者说生存的几率远小于毁灭的。唯一不会被毁灭的只有东门大汉，因为他的生命早已停止，停在了他发疯时的那一个节点，从此不再向前。

丈母娘考验女婿的三个标准

　　和一年前相比，苏小麦的娘几乎没什么变化，眼神依旧犀利，嘴唇依然薄得像张纸，这说明她的嘴上功夫不会比过去有分毫减弱。太后仍然是太后，气度雍容，选了家小有名气的湘菜馆接见陈非，而且肯定不会让陈非结账。这样掌控一切的对手最让陈非绝望。

　　这一天早晨陈非并没有忘记取消闹钟，但是天亮之前却自己醒了。他躺在床上，看着天花板发呆。苏小麦曾在那里贴了许多能发荧光的塑料星星，后来星星们纷纷坠落，在天花板上留下一个个丑陋的洞，房东多次表示以后陈非搬走时一定要罚钱。

　　后来陈非把视线移开，开始环顾自己住的这间房。几平米的空间里挤得满满当当，周围的墙皮都在因为老化而前仆后继地剥落下来，房东仍然多次表示要罚陈非。衣柜的门永远关不严，自从苏小麦养的仓鼠逃出鼠笼并在陈非的羽绒服里做窝后，陈非用几根筷子固定住了柜门。身下的床只有床垫没有床架，因为床架早就塌了，死于苏小麦的经典上床姿势：一二三，我滚！房东竟然没有发觉床的海拔变化，只是每次收租子的时候总要围着床嗅上几嗅，感觉不对，又想不起哪儿不对。

这间房基本可以作为样板房之一，昭示出陈非这个群体的北京打工族的居住状态。这样的房间在刚毕业时很令陈非满意，对比大学宿舍，这里就是希尔顿酒店。但现在他知道，这样的房间远远不够。他需要拥有自己的房子，无论多小多旧配套多糟糕但房产证上写着陈非或者苏小麦的房子，每个月向银行还钱而不是每半年向房东交租子的房子。这样的房子是太后允许陈非娶苏小麦的底线：小一点无妨，装修简单一点可以，地段偏一点能接受，只要你有。假如你没有，对不起，一切免谈。

但显然陈非没有。北京房价的上升幅度比全球变暖快得多，陈非追逐房价的脚步恰如哲学家嘴里的阿基里斯追乌龟，每追上一截，就被落下新的一截。尤其不幸的是，这是一只作加速运动的乌龟，以至于二者之间的距离不是无限趋近于零，而是开始趋近于正无穷。

苏小麦无所谓，她简单的头脑里还来不及装下这些概念，但太后显然是决不会妥协的。去年陈非第一次见太后，在一家咖啡店，太后粉墨登场时，他差点以为是苏小麦的姐姐，得知太后的年龄后颇有些带着夸张的震惊。而太后对这种震惊的效果很满意，所以会晤初期双方气氛还算融洽友好。苏小麦把柳丁汁的吸管玩得吱吱作响。

后来太后忽然问："你们打算什么时候结婚呢？做好准备了吗？"

这话立马问得陈非傻了眼。在中国，丈母娘考验女婿的标准千差万别，但通常而言，有三条全国通用的基础标准，第一条是有没有房，第二条是有没有房，第三条是有没有房。陈非当然听说过这三条标准，但当太后图穷匕见的那一刻，他还是有些愣神。过了好久才反应过来，根据这三条标准，自己根本不能和苏小麦结婚。

苏小麦嚷嚷起来："结什么婚结什么婚，我还年轻着什么急？"太后宽容地抚摸她的头顶，眼神仍然聚焦在陈非脸上，瞳仁与眼白黑白分明。陈非张了张嘴，还是没能答出来。他还真的没想到过结婚的事，但太后一提又觉得似乎非结不可。他已经老大不小了，苏小麦也算不得年轻了——至少不像她自以为得那样年轻，两人正在时间的斜坡上骨碌碌往下滚，而且坡度越来越大，一眨眼工夫就会变老。男人老点不怕，女人老了就很可怕，所以太后的问题合情合理无懈可击。

陈非耷拉着脑袋，垂下眼皮，回想起了童年时偷偷进电子游戏室被老师抓住时的场景。太后意味深长地看了陈非一眼，若无其事地岔开话题。但陈非知道，这事儿没完，就好比小时候偷进电子游戏室被老师逮着。老师当场不惩罚，过后却会一次次暗示你、恐吓你，一旦你再有什么表现不好，她就会告诉家长，把你的屁股打到肿。

如果生活也像网游那么简单就好了，坐在湘菜馆里，陈非莫名其妙地想。陈非是个网游高手，能穷尽智慧找出游戏里一切赚钱的花招，专以不花一分钱杀人民币玩家为荣，经常杀得花钱的主嗷嗷乱叫，刷着世界聊天频道骂他。练级和挣钱这样的事永远不能指望苏小麦，都是陈非升好级做好装备，然后让苏小麦去砍人取乐。但现在陈非没有能力买好房子让苏小麦蹦跳取乐，所以他在太后面前好像身高只剩下了一米五，而且觉得椅子上布满尖刺。

"二十七了吧，今年？"太后不紧不慢地问。

"嗯，十一月的生日。"陈非回答。

"小麦也二十五了。"太后说完，继续细心地在一份小炒牛蛙里挑拣残余的牛蛙肉，扔进苏小麦的盘子里。她并没有多说什么，但陈非完全明白。领导发言都是有智慧的，不会把什么话都点透，其中关窍全凭下级领悟。陈非就悟到了太后的弦外之音：你们两个都老大不小了，再不结婚黄花菜都该凉了。

苏小麦从来觉得自己很年轻，到了三十岁、四十岁仍然很年轻，但显然太后不会那么想。陈非一度很困惑，生活本来应该是很简单的，一个叫陈非的大胖子和一只叫苏小麦的青蛙相互看对了眼，于是大胖子牵着青蛙一路往前走，无所谓年轻无所谓老迈。但太后教育了陈非，生活从来和简单无关，人生不能由胖子和青蛙自己决定，还有很多的路障、沟渠、绊马索、铁栅栏。胖子和青蛙加上那些路障、沟渠、绊马索、铁栅栏，大概就是所谓的人生了吧。

吃完饭陈非已经出了一背的汗，和辣椒无关，虽然这家馆子的大师傅看起来希望所有食客吃过一顿后就不敢去湖南。太后说些无关痛痒的勉励话，"你们要好好相处""小麦这孩子从小就傻头傻脑，你多让着点她"，然后把苏小麦带了回去。

陈非看着两人的背影发了会儿呆，慢吞吞走到公车站。周末的北京城有一个好处是不再有早高峰和晚高峰，有一个坏处是任何时候都是高峰。陈非看了一眼车站，决定转身去打车，但手刚伸起来又放下了。

我是不是该多省点钱了？陈非琢磨着，少打几百次车，一个平米就出来了。最后他上了公车，却并不是回家的那一趟。人在心烦的时候需要倾诉，而苏小麦并不是一个倾诉的好对象，何况她和太后在一起。陈非要倾诉，只能找胡二。

"我在家，你来吧，还是老地方没搬，"胡二在电话里说，"记着在门口给我打电话，别直接敲门，上次你把房东吓得不轻。"

胡二向来很有本事在各种意想不到的地方找房子，比如近两年他就住在航院的家属楼里。一户学校的电工缺钱给丈母娘治病，偷偷违规出租了一间房，房里两张上下铺，挤住着胡二等三个人，每人每月五百大洋，比单独租给一个人划算。陈非第一次去那里找胡二，直接敲了门，房东太太满腹狐疑出来，"找谁？"

"找胡二。"

"胡二是谁？"

"就是租你房子的那个，长得有点像果子狸……"

话还没说完，陈非被一把捂住嘴硬拖了进去，恍惚间以为房东太太是孙二娘转世，他一百八十斤的体重在房东太太手里浑似没有分量。后来胡二才告诉他：声张不得。航院的家属楼不让出租，发现了要重罚。所以房东成天风声鹤唳，早晚要精神分裂。

"够黑的，这么小房间挤你们三个人，还要一人收五百，大小便都得领号吧？"陈非在房里好容易找到地方放下屁股，忍不住抱怨两句。

"行啦，房东一家三口睡主卧也好不到哪儿去，"胡二很宽容地说，"一大一小两张床，中间就隔个帘子。儿子都十六岁了，正在青春期，想琢磨一下生理卫生都不方便，别提他们两口子尽义务了。"

"怪不得房东太太浑身精力无穷，"陈非想起刚才被硬拖进来的场景，"都是生活憋屈的。"

来到航院的时候正是下午，阳光尚可，别无风沙。此时正是北京城短暂的秋季，一年中难得有几天这样不冷不热的日子，很快隆冬就将降临，把一切冻成冰坨子。航院的生物们也很珍惜这样的好时光，因此蜂拥而出，把林荫道、篮球场、足球场、绿园填得满满当当。那些面孔上洋溢着青春的放肆和无忧无虑，让陈非感受到了无法排遣的嫉妒。这样的好日子早就离他而去了，现在在他身上背着老板和太后，以及他自己不断增加的体重，一共三座大山，比教学区里的废导弹还沉。

来到家属楼外，陈非拨通了胡二的手机，不久胡二开门出来，贼兮兮地把他迎了进去。房东太太见到陈非，脸色像得了黄疸型肝炎，无疑又想起了上次陈非那一声吓煞人的吆喝。

　　房间还是老样子，各种杂物在床和桌子的缝隙中盘根错节抵死缠绵。陈非挪走床上的一副国际象棋，坐了下来，胡二看着他，"你怎么了？忧郁得和文学青年似的。"

　　"你猜。"陈非抓起地上的可乐瓶，咕嘟灌一口。陈非和胡二在大学就都有爱喝甜腻腻的软饮料的习惯，只是陈非越喝越胖，胡二的身材万年不走样，难免让他愤愤不平。

　　"只有两样东西能打击到你，老板和丈母娘，"胡二推理说，"如果是老板，你昨天甚至前天晚上就该来找我了，所以只可能是丈母娘。你丈母娘要么打电话了，要么直接来北京了，肯定是催你买房结婚，不然就把苏小麦插到另一片麦田里去——你现在手里有多少钱？"

　　陈非计算了一下，"……连个厕所都买不起。"

　　"还得加上苏小麦的钱呢。"胡二提醒他。

　　"她连自己都养不活，每个月几张信用卡轮着还债，"陈非摇着头，"我家里更指望不上，他们还想指望我呢，我每个月都给他们进贡，还没个够。我爹想弄辆小车开，我娘想把家里重新装修一下，念叨了好几年了。"

　　"要是到大昌平国去买呢？"胡二问，"或者顺义、门头沟什么的地方。"

　　"也不行，现在是鸡犬升天的年代，"陈非叹口气，"大昌平国的房价早赶上来了，什么顺义国、大兴国，哪怕是'河北移动欢迎你'国都不成。不过到这些国去，估计能买到一个完整的厕所吧。"

"那实在不行，既然丈母娘催得你紧，索性让丈母娘掏钱？"

"太后是不会掏一分钱的，"陈非大摇其头，"这个女人婚姻不如意，更年期延续了十多年，一辈子都在后悔嫁了个不会挣钱的男人，绝不会让苏小麦重蹈覆辙。一套房是她评判男人本事的底线，这个底线都达不到，就要考虑重新投资啦。"

"不说了，都是破烂事，"陈非摆摆手，"你呢，最近何如？今天怎么没去村里？"村里指中关村，胡二之前在里面找了个装电脑的活计。

"我把村里的活辞了，"胡二说，"还有半年，我得多看看书了。"

"你什么时候才能放弃这个荒诞的念头，"陈非说，"等你考上研，航院可能已经被清华吞并了。"

这是一个老笑话。将近十年前陈非和胡二入校时，师兄们对他们说："我们的师兄告诉我们，他们入校时，他们的师兄对他们说，航院可能有一天会被清华吞并。所以你们入校是航院的人，离开时说不定就拿着清华的学位证。"

然而师兄们像田里的庄稼一样，被割了一茬又一茬，最后陈非们自己都被割掉了，学位证上的钢戳仍旧没有改变，航院还是航院，没有任何一根寒毛被清华吞进肚子里。后来人们形容某件遥遥无期的事情时，就会说："张二妞会喜欢上你？航院都被清华吞掉了！"

关于航院的另一个笑话是这样的。人们考进航院前后，往往会听说"清华北大航老三"的名头，以此说明航院很牛逼。说有一天，一个航院学生在公车上遇到一个钢院的家伙，出于礼貌称赞说："钢院很不错哟。"对方谦虚地点点头："还好还好，清华北大钢老三嘛。"

这样关于航院的笑话还有一箩筐，这样的笑话听多了，会让人对航院丧失信心。胡二就听多了这样的笑话，所以他考研不考航院，而是考北大。而北大的研显然并不怎么好考，陈非一次次劝诫胡二：就在航院这棵树上吊死多好，以你的水准，闭着眼睛也能上。但胡二不听，铁了心就是要考北大。从毕业那一年算起，他已经五出祁山，全面败北，却仍旧壮心不已。

"不考研我能干点什么呢？"胡二慢吞吞地说，"你知道的，离了学校我就觉得浑身上下不得劲。你看我租房子都削尖了脑袋往学校里钻。"

"谁都不得劲，"陈非板着脸说，"谁都喜欢通宵斗地主白天睡大觉，谁都喜欢一顿八食堂的小火锅就能搞定一个姑娘，谁都喜欢每年努力两个星期就能搞定全年的考试然后四处瞎溜达，但是人生只有那么四年给你享受。"

"所以才要考研，还能延长一点点这种享受。"胡二说。

"但是你不一定非要到北大去享受，"陈非说，"航院也不是什么野鸡窝。"

"享受了四年了，腻了。"

"鸡同鸭讲。"陈非咬牙切齿。

"对了，最近和其他人有联系吗？"胡二问。所谓其他人，指的其实是很有限的几个人。大学时代看似充满了甜言蜜语，最后剩下能联系的"其他人"并不多。很多大学同学过上几年走街上遇见都不认识了。有时候在商场看到一个熟影，想不起名字不敢去打招呼，无端端让人产生一种岁月如梭的失落感。

"杜愚又搬家了，"陈非说，"搬到天通苑一个群租房，一个月只要三百块。王小骚前段时间还有联系，估计快要结婚了吧？老宋刚从西藏回来，我们这帮人，就数他最滋润。"

"其实我很想找大家伙一起聚聚的，"胡二说，"就是聚到一起不知道该说什么好。"

陈非点点头，"我也不知道该说什么。"

加薪与反加薪

　　陈非和胡二晚上在五食堂吃了盖浇饭，缅怀一番一顿小火锅就能骗到姑娘的淳朴岁月，回到家觉得困劲一阵阵往上涌，十点不到就倒下睡着了。没睡几个小时，凌晨一点的时候，苏小麦的电话来了，那是她好容易伺候了太后就寝，躲到阳台上打来的。

　　"太后有何懿旨？"陈非问。

　　"简单两个字：分手，"苏小麦没精打采地说，"被我以死相逼才勉强妥协，但还是放出话来，要么你把房子搞定，要么永远别提结婚的事。我说大不了我不结婚，然后就换成了她以死相逼。"

　　"看来以死相逼是你们俩的保留节目，"陈非叹口气，"最后怎么样，谁逼赢谁了？"

　　"暂时不分胜负，"苏小麦的声音听上去又要哭，"你不知道，我娘在我面前最擅长苦情，不外乎是什么十月怀胎差点难产肚皮上挨了一刀为了去幼儿园接我栽进水沟为了照料我错过出国培训机会之类的，一说起来就苦大仇深涕泪横流，搞得我都找不到空插嘴。现在只能和她拖了。"

陈非搔搔头皮，"那就拖吧，除了拖也没辙。现在除非我赶紧迎娶希腊船王的遗孀，不然怎么也变不出房子的。"

苏小麦又哭又笑，陈非一阵好哄，好说歹说把她劝去睡觉，然后自己躺在床上盯着天花板。拖字诀固然可以节省时间，但并不是解决问题的终极答案，还需要施展一些辣手。钱是不可能从天花板上飘下来的，而需要从老板的钱袋里榨取，尽管老板的钱袋锁得比霍格沃茨魔法学校的大门还严。陈非觉得自己即便抱颗清洁核弹头去炸，也未必能炸得开。

陈非在总公司下属的展览公司上班。上班时他要先刷门卡，然后走过两间装修最豪华的办公室——那是老板和副总的办公室，通常都是大门紧闭，透出领导阶级应有的派头。接着他会走过设计部的办公室，里面的人们一边啃着饼干一边看着屏幕上的展位设计图发呆。然后他走过装修依然很豪华的会议室，该会议室从来都紧锁着，老板亲自主持会议时才会打开，在这间会议室开过会就会有一种"我们公司很牛逼"的错觉。

最后他走进最大的一间办公室，那是业务部的办公室，他就在这里上班。一年中的某些时候，他在国内主办展会，另一些时候他带客户出国参加洋鬼子的展会。

这个活计说起来蛮像那么回事，衣冠楚楚地在展会现场晃悠也显得人模狗样，何况按照人们的说法，展览业是朝阳产业，好比早晨四点钟的太阳，所以陈非走在北京城的街头，俨然一副白领的模样。但就像有些球员年入百万有些只能拿月薪两千一样，陈非所在的公司做起业务来十分艰难。该公司乃是总公司看展览业形势一片大好，一拍脑袋拔根毫毛变出来的，就好比几年前许多大老板看足球很火，于是一拍脑袋成立一家俱乐部。但对于那些后起的俱乐部来说，会打假球的好球员早被瓜分光了，会吹假哨的好裁判早被收买光了，想要从零起步，就必须经历难以想象的痛苦。

总公司拍完脑袋后，给老板配了奥迪，但很快发现这是笔肉痛的买卖，于是不肯多拍几下脑袋让员工们也闻到腥味。陈非进入公司五六年，充分享受了各种国企性质的乱七八糟的福利，例如逢年过节能往家抱回整筐整筐的苹果，他和李萌加在一起就是两筐，三个人吃到拉肚子也吃不完，只能眼睁睁看着苹果坏掉。工会还经常组织组织乒乓球比赛什么的，参与者可以得点毛巾香皂搪瓷杯。但作为收入的大头，公司的项目奖金永远在低水位徘徊。他找老板谈过几次，工资勉强涨了一些，再要往上就不行了。所以陈非存了这么多年，也就存出个厕所钱。

厕所钱也是钱。陈非这么想着，在公交车里闭目养神。假如不嫌站着睡觉腿太累的话，北京早间的公交车的确满适合睡觉，不管不顾地一闭眼，周围有无数肉盾甜蜜地夹着你，保证摔不着。当然事先得把钱包藏好免得醒来后一摸兜傻眼了。

最近两天睡眠不足，他差点坐过了站。死活挤下车，在公司外的早点铺买了两个包子，边吃边上楼。近期陈非手里的项目是次年春季的法兰克福灯具展，但打了几个月骚扰电话，上钩的鱼儿寥寥。他又拿出旧年的绝技，利用软件疯狂发送垃圾邮件，至今没有得到一封回音。更加糟糕的是，这个展会在国内已经有了总代理，当初老板拍脑袋说要上该项目时，并没有注意到这一点。等到陈非千辛万苦拉到三个客户，代理的那家展览公司打来电话，说是看到了陈非的垃圾邮件，要求陈非必须通过他们公司进行操作，不能直接与德国人联系，当然了，手续费也难免。

陈非核算一下成本，总共三个客户，只有一家要了个9平方米的标准摊位，剩下两家只是去参观，赢利已经足够少了。而德国的地接最近穷疯了不断涨价，眼下还要被砍一刀手续费，这单生意完全成了打酱油，真是岂有此理。这让他十分没有情绪。

坐电梯上到9楼，单位的办公室主任已经在桌子前坐好了。这是个精力旺盛的干瘦小老头，上管天花板下管地毯，虽然身量不大，讲起话来声如洪钟，嘴巴就像一个布兜，随时能掏出各种各样的规则、制度、条例、文件，和航院图书馆的看门老头堪称镜像。陈非到公司参加面试那一天，哑着嗓子和面试官——也就是后来他的顶头上司——言谈甚欢，忽然间一阵阴风吹过，面试官和周围同事脸上都罩了一层黑气，随即一个铜锣般的嘹亮嗓子在背后响起，吓了陈非一跳。

"我再说一遍啊，厕所里的卫生纸不许拿回家！太不像话了，这个月第四次了！"办公室主任怒吼道。

同事们都捂着嘴笑。陈非冷眼旁观，发现人们的视线或多或少往办公室的一角飘去。那里坐着一个西装笔挺的中年男子，金边眼镜下的目光沉稳，正在严肃地敲击键盘，对一切杂音恍如不闻。陈非不敢笑，开始对自己未来的办公环境有了少许了解。

　　展览业务部的办公室布局泾渭分明，负责国内展会的一处和国外展会的二处各坐一边，中间一张大桌子划分楚河汉界。陈非属于一处，自他进入公司以来，一处也开始开发国外项目，他手里的法兰克福灯具展就是这么一个新项目。不过一处的主业还是国内展会。

　　现在那张大桌子上堆满了无数空信封、印刷好的邀请函、用A4纸每页面打印八个并剪裁开的地址、大桶的糨糊和刷子。下个月将有公司的拳头产品——包装机械展召开。该展会已经进行了四年，前两年卖出去的摊位不足一半，最后只能大赠送，就这样还没人愿意来。接下来的两年情况稍好，三分之二以上的摊位都卖出去了，但观众人数比展商还少。展商们白天在摊位上睡够了觉，晚上再也睡不着了，只能出去享受北京的夜生活，然后第二天肿着眼泡到摊位上继续睡，形成良性循环。

　　去年公司想办法请到国内某包装协会的会长来增彩，该会长过去曾是工业部的高官，名头不小。会长迈进展厅，但见四处过道都空空荡荡，展商们要么鸡啄米，要么凑在一起斗地主，那脸色别提多难看。会长刚走，老板猛一拍桌子：明年一定要有人看！

　　包装机械展这样的专业展会比不得花展、动漫展之类能吸引普通市民，假如不花钱雇托儿的话，唯一能指望的就是多忽悠些专业观众上门。于是陈非和公司同事武宁花了一星期，把以往收集到的相关厂商地址复制进 Word，用打印机打出来并裁剪开，以便贴在信封上。这一个星期轮到全处总动员完成最艰巨的任务：装邀请函，贴地址，封信封。这之后邀请函将被寄到全国各地的相关企业，能有多少鱼儿上钩只能听天由命了。

陈非本来想再和老板提提加薪的事，几千个信封压到头上来，也就顾不上了。一处的同仁们流水作业，有贴地址的，有装邀请函的，有封口的，到午饭时间完成了大约五分之一，个个累得揉胳膊按腿。陈非似有所悟，这年头白领阶层赚得不比蓝领多多少，不是没有原因的：一个个干得比蓝领还多，都被累傻了，也就没有力气找老板加薪了。

午餐的时候陈非没有看到老板，下午流水线正准备开动，老板忽然出现了。老板一脸沉痛，身边的办公室主任替他宣布了新政：节流。新政中包括节约用水节约用卫生纸，包括下班后必须关电脑，包括打印纸重复使用等等。现在到处提倡节约型社会，老板严肃地说，况且公司财务状况也不容乐观，能省则省。

陈非也没有听得太细，他能确定的是，自己不必去要求加薪了。他甚至怀疑老板会读心术，猜到了他会找麻烦，所以先发制人防患于未然。他叹了口气，抓起身前的一个空信封，把一份邀请函装了进去。

书都读到狗身上去了

　　业务一处处长是一个有些轻度强迫症的人，假如有什么活落下没干完，他就会像拉完屎不擦屁股一样浑身不自在。这一天一处全体加班到晚上9点，大约完成了百分之八十以上的任务，处长依旧不自在，但考虑到继续下去可能酿成起义，他这才极不情愿地放手让所有人回去。

　　陈非骨头都快散架了，也不再计算又亏了0.001平米，毅然决然打车回家。李萌早已在家，桌上放着打包的水煮鱼。

　　"你们公司真好，隔三差五就有腐败，"陈非嚼着鱼肉对李萌说，"哪儿像我们，加班到9点，饿得想要啃糨糊。"

　　"我还羡慕你每年都有点机会到资本主义的花花世界去受点毒害呢，"李萌说，"腐败多少顿才赶得上一张越洋机票啊。我才叫倒霉，天天在社会主义的土地上围着洋人转，放在清朝那就叫洋奴。"

　　李萌在总公司下属的国际工程公司，原本生意清淡没什么业务，但公司老板思路活泛，又是拓展外贸又是搞翻译业务，结果公司效益反而不错。

　　"我情愿把所有越洋机票的钱都折现……"陈非摇摇头，

"别说啦，我觉得我们俩越说越像围城了。"

"对了，刚才杜愚给我打了个电话，还问起你了，"李萌说，"我能听出来，他的近况不如意，没准是需要钱，又从来不肯开口向我借。"

"他肯定不会向女人借钱的，"陈非说，"饿死事小，丢脸事大。"

吃完鱼，洗完澡，腻歪完苏小麦，陈非躺到床上，眼睛刚闭上又睁开。他拿起电话，拨通了杜愚，"周六我去看你。"

杜愚没有拒绝。陈非长叹一声，心里算计着周六应该带多少钱去。

杜愚也是陈非的老同学，属于毕业后还能提起的"其他人"的行列，在他丢掉工作之前，陈非一度试图撮合他和李萌，但后来以失败告终。杜愚站到姑娘面前就会大脑缺氧，这一症状从未得到丝毫改进。两人约会过几次，每次假如不带上陈非，简直就像在演默剧，带上陈非又分不清到底是谁和谁在约会。

大学的时候，杜愚是班上男生里唯——个天天上自习，天天做作业的，这样的人放在哪所大学都是怪物。到了毕业时，班里男生只有三个从来没挂过科，其中之一就是杜愚。但杜愚没有考研，原因有二：其一他不想考，想要早点工作赚钱，还清助学贷款，还清家里欠的债；其二他考不起，因为他实在学不好英语，大学里他门门课80分以上，英语总是60出头，六级考了三回才过。

陈非和他正相反，挂科挂到差一点就拿不到学位证，偏

36

偏英语学得很好，而事实证明杜愚的成绩单在找工作方面毫无竞争力：人人都会改成绩单。那时候陈非把原版成绩单复印了两份，从一份上剪下一些看起来还不错的分数，粘到另一份上，覆盖掉那些低于60的分数，然后再复印一次，出来的效果完美无缺。接下来带着这张改头换面的单子到教务处求一个红章，教务处为了保证就业率从来不会拒绝。陈非挂了那么多科，最后比杜愚先找到工作，世事不公，大抵如是。

后来杜愚一直到毕业还没找到工作，但他咬紧牙关一定要赖在北京，被楼管大妈用扫帚拍出宿舍后，在航院西门外找了间平房蜗身。此平房近似日本人胶囊公寓的概念，刚好能在地上摆一个破床垫供杜愚躺平。他以这间平房为据点，顶着七月的阳光天天在外奔波，在彻底晒成黑人前把自己卖给一家以卖冷鲜猪肉为主的食品公司。

杜愚在该食品公司下过车间搬冻得硬邦邦的生猪肉，进过餐厅替人开门端盘子，美其名曰轮岗实习，最后开始跑业务。后来他告诉陈非，在他干过的所有事情中，还是端盘子最舒服，不必受冻，不必挨骂，尤其是不必挨骂。

他在几个月后被炒鱿鱼是因为业务完全做不下去。去北京城大大小小的餐馆推销猪肉，开口之前先血压急升，稍微被人使一点脸色就如丧考妣，三个月下来一单业务都没做成，半年试用期一满直接走人。此后他卖过保险，当过房屋中介，上门推销过壮阳茶，还被警方从传销课堂上现场解救过一次，始终脱不了从血压急升到如丧考妣的模式，没有一样做成了，所有的工作统统只拿到底薪。

杜愚对陈非总结说，读了十六年书，全读到狗身上去了。陈非说："不然，其实把我的脸皮分你四分之一，再把胡二的胆量——职业枪手嘛——分你四分之一，你就完整了。"但无论陈非的脸皮还是胡二的胆量，终究没法分给杜愚，所以杜愚没法完整。

这之后过了半年，一次同学聚会，杜愚也来了。众人说起近况，杜愚说自己现在卖文为生，有个冠冕的称谓叫自由撰稿人，听得大家虎躯一震，个个肃然起敬。

"哎呀，真没想到我们这帮人里也能出个文化人！"胡二赞曰。大家倒是都知道杜愚上学时爱好舞文弄墨，还是系文学社的副社长，时常有些酸不溜秋感世怀伤的小诗小文油印在文学社的月报上，贴在各宿舍门口供人围观。

陈非追问杜愚有何自由大作问世，杜愚略显尴尬，说主要写一些杂志稿，"有那么两本书还没出来"。此后话题一转再转，大家的兴趣都转向王小骚的恋爱传奇，也就没人去关注杜愚了。

前些日子杜愚发来短信，说自己搬到了天通苑，陈非去电问候。电话里杜愚显得很忙碌，连说自己在整理行李，很快挂掉了，所以其他细节陈非也并不很清楚，就是记住了房租只要三百块。可见杜愚有可能陷入了，或者说再次陷入了经济危机。杜愚和陈非关系挺好，大学时全体男生都抄杜愚的作业，抄出了革命友谊，现在杜愚有难，陈非自然不能置革命友谊于不顾。

第二天上午业务一处糊完了所有信封，堆在一辆手推车上,陈非把车推进电梯,送到楼下邮局。邮局的小马脸都白了,咒骂陈非不想让她下班。陈非耸耸肩,让她把诅咒对象换成处长的尊名。假如小马能把处长咒出点毛病来,一直病到包装机械展结束,陈非就请她吃饭。

这之后的几天,除了到现场盯布展,陈非把剩余的时间都用来打电话。陈非不是杜愚,脸皮厚得大功率钻机也钻不进去,但脸皮厚并不能直接转化为绩效。愿意出国参展的展商基本都跟着总代理的那家展览公司走了,陈非舌灿莲花,也不能劝服别人跟着他走。有一家做吊灯的厂商被陈非连续骚扰了三天,忍无可忍之下怒吼一声:"我们厂明天就倒闭了,别再打电话来了!"

陈非撂下电话,哈哈一笑,决定放弃。老板拍脑袋拍出来的这些展会没法给他提供业绩了,看来需要自己寻觅一些新项目。为了太后的终极要求,为了还能每周末牵着苏小麦的小手在街上耍宝,陈非只能绞尽脑汁。

一个好消息是太后总算走了,坏消息是人虽走,余威犹在。太后在陈非面前仪态万方,话只说半截,在苏小麦面前就没有半点客气的。苏小麦在电话里表示压力很大,哭诉说自己一辈子听到的"房子"两个字也没有这一周听到得多。陈非只好把自己这一辈子所知道的安慰话全掏出来,说到嘴角起泡。陈非上火了,不只嘴角起泡,额头上还长出一个疙瘩,钻心地疼。他觉得自己的生活中只剩下了两样事物,那就是房子和额头上的疙瘩,这两样东西让他筋疲力尽、委顿不堪。

周五的时候,处长还想要陈非周末加班,陈非指着额头上的疙瘩告诉处长自己得了皮肤病，如不赶紧医治恐怕把展会现场都传染个遍。处长受惊之下，提前半天放他走人。陈非回到家，大睡一觉，周六赶早搭车去往天通苑。

天通苑是一个神奇的地方。几年前陈非去那里参加一个网友聚会，因为弄错了大门，足足多走了一个小时的路，这让他对天通苑的硕大无朋有了直观的印象。这个地方总让他想起一个扩大版的桃花源，人民在其中自给自足，鸡犬相闻，不必和外间通声气。

天通苑的房价曾经很便宜，有些人闻风而来，看着公车站的盛况倒抽一口凉气，又退却了；有些人闻风而来，聪明地预见到了未来的沧海桑田，果断下手。果然后来地铁通行，人口膨胀，人群纷纷迁移至此，房价开始飙升，那些当初在此地买房的人都很高兴，纷纷在房里弄出隔断，改造成群租房租给没钱的人。一个人三四百块不算什么，八个十个或者十七八个凑在一起就是不菲的数额，体现出人多力量大的真谛。

陈非从地铁钻出来，摸到杜愚的住处门口。杜愚开门出来，整个人显得白了不少，那是因为他成为了光荣的自由撰稿人，从此坐在家里干活，不必出门饱尝风霜的缘故。但同时他也瘦了不少，可见这个活儿并没有想象中好干。

"屋里没法坐，到处是东西，"杜愚说，"出去走走吧。"

"行，没问题，"陈非说，"我知道天通苑地方大。不过已经中午了，先找地儿吃饭吧，我请客。"

杜愚脸上一红，嘴唇嚅嚅而动，似乎是想说出点"我的地盘我请客"之类的话，但最后没有说出来。陈非可以想象他的窘迫，禁不住在心里琢磨：自由撰稿人听起来不是满光鲜的么，怎么混得浑身上下一股子方便面味儿？

杜愚把陈非带到一家专卖各类便宜盖浇饭的中式快餐店，正准备拉门，陈非一把拽住他，把他拽进了隔壁的涮肉坊，二话不说先要了四盘羊肉。杜愚也不多说，等水开了就开始一坨一坨往汤里扔羊肉，看得陈非叹为观止。就好比有些人吃素是因为吃不起肉，有些人吃素是为了减肥，陈非在家里也常吃方便面，那是因为他不会做饭。而看杜愚的状态，似乎在很长一段时间内连方便面的肉渣都未曾见了，这意味着他吃的方便面不会超过一块钱一包。

过了很久陈非都还能回忆起那家涮肉坊。那是一家新开的店，所以窗明几净，地上没有陈年的油污，墙壁也没有被熏得发黑。那家店门脸不大，门上挂着"开业酬宾满一百返三十"的大红横幅，颇有几分喜气。服务员有点笨手笨脚，酒精炉点了三次才点着，不过态度很好，上完菜后恭顺地垂手站在一旁。杜愚就在服务员的注目礼中把四盘羊肉吃得精光，陈非招招手，让服务员再来四盘。那一天天气不错，虽然有风，但阳光明媚，透过玻璃窗照进店来，杜愚低着头，在跳跃的光斑中大口吃着羊肉。两个人在此期间没有说一句话。这一幕和陈非在羊蝎子店里劝杜愚离开北京的场景何其相似，让陈非恍然间有点时空倒错的幻觉。

陈非突然想，如果有人把这一幕画成油画，应该取个什么样的标题呢？《食》？《饿》？最后他觉得，最恰当的标题是：《北京》。

"你一个作家怎么混成现在这样？"等到杜愚吃饱喝足，打出响亮的饱嗝，陈非终于忍不住问，"我还一直拿你教育苏小麦多读点书长长文化呢。你不能这么快就变成反面典型。"

"你怎么拿我教育她的？"杜愚反问。

陈非愣了愣，"当然是说你……才华横溢，特立独行，风华正茂什么的了。说真的，我们都特羡慕你，不用每天朝九晚五心里总问候着老板全家的生殖器，敲敲键盘人民币就长出来了，多好！"

"我告诉你我干的是什么活，"杜愚说，"跟我回去。"

于是陈非结了账，和杜愚回到出租屋。杜愚和另外五个人挤在一个小间里，房内放了四张上下铺的双人床，三张住人，一张放行李，这样的格局立即让陈非心生亲切之感。

"简直和大学宿舍一模一样嘛！"陈非赞曰，"连脚丫子味儿都差不多。"

杜愚没说话，从上铺拿下来一沓装订在一起的厚厚的打印纸。陈非拿起来一看，"你不能欺负我没文化。虽然我读书少，但电影和电视剧总是看过一些的，这分明是《雾都孤儿》嘛，小时候在正大剧场看过，感动得人稀里哗啦的。"

"没错，这就是《雾都孤儿》。"杜愚点点头。

"那你要干什么？抄袭么？"陈非不解，"要抄也得抄点没名气的吧？如果一本书连我这种档次的都能认出来，你还去抄它，也太失败了吧。我知道这年头群众智商低，但不能过分低估这种智商……"

"我不是抄袭，是翻译。"杜愚说。

陈非怪叫一声："小杜，我们多少年交情了，别蒙我。你那几把刷子还搞翻译，我可以去航院教大学物理了！"

"你听我慢慢说，"杜愚说，"其实就是书商想出世界名著赚钱，但又舍不得花钱买别人的翻译，所以就把这些翻译好了的东西拿来改头换面，这个地方多一个断句，那个地方换一个形容词，伪装成自己的翻译作品，比真正的翻译价格便宜得多。"

陈非明白了，"这不就是做枪手嘛，和胡二替人考试差不多。原来你成天就做这个。"

这只是其中之一，杜愚还做了很多其他的事情。比如某些文字工作室炮制垃圾玄幻小说，根据一个大纲扩写出一些让人便秘的糟烂故事，杜愚替人编过大纲，也亲手写过故事。故事里的神勇男主角英俊潇洒武功盖世，总是不停地和各种各样的稀奇敌人动手，每隔三五十页就要睡一个女人。杜愚捏着鼻子写完一本，让男主角睡了三个女人，遭到书商严厉批评，因为其他人的故事里都至少要睡五个。这样的故事每千字给三十块钱，倘若交稿超时还要扣钱。

此外他还编写过植物百科全书。某些书商把自己麾下的产品改头换面隔三差五就重新出版一次，改头换面的工作都由杜愚这样的人来干。把上一本书里的内容复制过来，每个句子做一些修饰变形，比如"美丽的"改成"漂亮的"，"香气袭人"改成"花香怡人",很快一本新书就可以攒出来。这种活儿更便宜,千字二十,和修订世界名著差不多。

陈非拿着杜愚炮制的玄幻小说在手里翻,边看边乐:"这霓裳仙子凭什么要爱上慕容惊天?中午才见面打了一架,晚上就陪他睡,第二天没想明白还要去找他睡。封面挺好看的,这女的衣服穿得真少……你怎么净干这种活儿?照我看和卖猪肉也差不到哪儿去。"

"比卖猪肉还不如,"杜愚忧郁地说,"这根本就是有辱斯文。可我没办法,不干这些活儿挣不了钱。我写了好多稿子,四处投稿,大多没人要。而且杂志稿费那么低,发钱比乌龟还慢,拿到手也不顶事。我还想到网上写网络小说,不是说可以年入百万么,但我写的东西压根没有人点,别说百万,一百块都挣不到。"

"别管什么狗屁斯文了,反正这年头斯文早就被糟践坏了,要有人给我发钱我也成天敲键盘去,"陈非说,"关键是我觉得你也没挣到什么钱。"

"确实没挣到太多,"杜愚说,"书商总是拖欠,有些还赖账。这不比上班,工资总能有保证,很多时候连续两三个月都只是白忙活。"

"我头一次发现原来有个老板也是一种幸福……"陈非嘀咕着,"那你打算怎么办?还接着干?"

"不接着干我还能干什么?"杜愚反问。

"那你还非要待在北京,回家去不成么?"陈非嘀咕着。这个话题又陷入了两人之间的死循环,让陈非很没有情绪。

他很清楚，自己能代表某种北京的生存状态，杜愚则代表着另外一种状态。在他的眼中，陷入杜愚这种状态的理应及早抽身，走为上策，但杜愚式的固执几乎存在于每个人身上，好像人人都想和北京一拼到底，直到你死我活为止，哪怕为此搞得自己挤在群租屋里浑身方便面味儿。

一只叫苏小麦的青蛙

　　回去的路上路过公车站，正好有一趟车竟然还有座，于是陈非放弃坐地铁的打算，跳上了公车。天通苑虽然已经有了地铁，但挤地铁的人数更为可观，实在不是什么太愉快的经历。

　　陈非坐在座椅上闭目养神，车开到半路上却堵上了，而现在似乎还没有到开始堵车的点儿。陈非睁眼一看，原来是临时交通管制，这是北京城最常见的景象，开在大路上的车辆或多或少都被管制过。那通常意味着有什么了不起的大人物要从某条道经过，草民们必须下马让到道旁，等大人物经过之后才能重新上路。北京这地方盛产大人物，所以草民们对于交通管制早就司空见惯，连句抱怨都懒得发。

　　陈非也只是在心里抱怨着，这叫作人算不如天算，早知如此，还不如去地铁里练铁布衫呐。不知怎么的，眼前这一幕让他忽然想起了前一年的夏天，那时候正是北京城沉入一种叫作"奥运"的状态的时候，凡是奥运场馆附近和交通要道上都有各式各样的管制，还临时施行汽车单双号的制度。

　　那段时间陈非很不愉快，因为众多有车的人因为不能开

46

车而不得不打车或者使用公共交通，客观上让他的出行变得更加困难。但他仅仅是不愉快而已，类似杜愚和胡二那样的，就难免多了几分恐慌，因为他们没有办暂住证。

那年夏天邻近的时候，各社区街道的小脚老太太们就开始活跃起来，她们就像冬眠的土拨鼠迎来了春天，纷纷从洞里钻出来，敲开各家各户的门索要暂住证。陈非和李萌都还好，单位早就为他们解决了集体户口，亮出的身份证赫然印着"北京市公安局海淀分局"的字样，让小脚老太太们没有把柄可以抓。而杜愚和胡二没有暂住证，也办不了暂住证——他们连正式工作都没有，充其量算盲流。

于是两个盲流惶惶不可终日，唯恐哪一天被一脚踢回老家去，好在最终都幸免于难，熬到了奥运状态的结束。事实证明这些盲流并没有能阻挠我国举办一届蛮夷尽皆臣服的伟大奥运，有关方面就暂时放过了他们。

苏小麦也成功挺过了奥运，因为单位替外地员工都办了暂住证，同样让小脚老太太们抓不到把柄。但那个血红色的证件始终让她觉得屈辱，尤其小脚老太太手里拿着证件仔仔细细比对照片的时候，这种屈辱完全可以理解，陈非只好尽力劝慰她，说小脚老太太们虽然半截身子入土，爱国热情却依然膨胀，这是多么令人欣慰的事情，假如不找点事情让她们抒发一下爱国情操，回头被憋死了多不好，又会给北京的丧葬用地增加多少压力呀。所以苏小麦之类的人群办这么一个证供她们打上门来检查，保住了小脚老太太们的心理与生理健康，实在是利在当代功在千秋的好事。

"谁叫我们活在北京呢？"陈非总结说，"活在北京就是要付出代价嘛。"

从杜愚那里回到家，陈非有点郁郁寡欢，苏小麦来了也没多给几个笑脸。苏小麦很不乐意，"别他妈拿一张臭脸对着我！你烦我妈，我还烦我妈呢，而你可以不要我妈，我不能不要，因为她是我妈，所以我他妈比你更烦！"

陈非好容易掂清了苏小麦这段顺口溜的意思，赶紧摇摇头，"我没烦你妈。我的意思是说，你妈的确很烦，但现在我他妈烦的不是她……不不不，当然更不是你。我今天白天去了趟天通苑，见了我一朋友。"

"是那个作家吗？"苏小麦问。

"没错，就是那个作家！"陈非看起来像是被噎住了，"坐在家里，当然是坐家了。"

他把杜愚的情况简单说了一下，着重夸大了杜愚食羊肉的视觉效果，苏小麦听了也直发愣，"他为什么不干脆回家？好歹也是航院的毕业生，回家去总能找到点工作吧。好家伙，三斤羊肉！"

"这个问题我也问过他，"陈非说，"事实上，在他花了三个月却连一片猪肉都没有卖出去之后，我就劝过他，回去吧，总比在北京饿死好。他给我的回答是宁可饿死在北京——别问我北京有什么好，我自己还答不上来呢。"

"那你说，要是北京没那么好，我们回老家？"苏小麦说，"你家也行，我家也行，房子都便宜，还没有那么多小脚老太太查暂住证。"

陈非想了想，把手一摊，"实话实说吧，我从来没想过要回家。不是家里不好，其实我觉得我家比北京更好，但我不想回去。何况我还有个北京的集体户口，多少有钱人削尖了脑袋都拿不到北京户口，我就那么放弃了户口回家去，邻居问起：'哟，陈非，衣锦还乡啦？'我告诉他：'在北京混不下去了，夹着尾巴滚回来的。'那多丢人！"

"其实我也那么想，"苏小麦小声说，"我觉得我并不喜欢北京，但我就是不想离开。"

苏小麦把头枕到陈非的胳膊上，低声念叨着："我就是不想离开，不想离开……"一直到她睡着为止。

陈非听着苏小麦安静的鼻息。睡着的苏小麦终于进入了安静的状态，不跳不闹，也不会一会儿哭一会儿笑，看着这样的苏小麦压在自己的胳膊上，陈非忽然觉得自己的心头也慢慢宁静下来。不管怎么样，至少此时此刻，苏小麦就在身边，还没有被太后夺走。在这个巨大如迷宫般的城市里，在一阵阵袭来的空旷的寂寞里，苏小麦就像一个救生圈，能让自己在孤单的汪洋里探出头来喘气。

他想起自己和苏小麦认识时的情景。那时候公司为了搞好包装机械展正在绞尽脑汁，老板决定附庸风雅紧跟潮流做个专题网站。陈非临危受命，去寻觅一家可靠的网络设计公司，但可靠这种东西，总得在上过当之后才能对比出来。第一家公司几天工夫就把页面做出来了，粗糙得像画图板上的涂鸦，连老板这种审美能力为负的货色都表示不能忍。

于是陈非找了第二家，负责设计的就是苏小麦。苏小麦花了半个月，把网站做出来，搞得有模有样，包括"展会概况""往届回顾""参会申请表""展区平面图"等单独的板块看上去都不错，就是链接总有问题。你点一下"联系我们"，结果跳出来的是"内容尚在建设中"，这多让人恼火。

此外苏小麦还别出心裁设计了一些 flash 效果，比如你下载申请表，就会有一头憨态可掬的猪跳出来在页面上翩翩起舞。老板说，好是好，就是太轻浮，太幼稚。陈非把所有意见汇总了，约苏小麦出来见面聊聊，苏小麦满口答应："五点半我到你们公司。"

"我请你吃饭。"陈非很有绅士风度。

晚上陈非一直等到八点，吃光了办公室里的最后一片饼干，苏小麦才姗姗而至。这个身材娇小的姑娘带着一脸笑容，用过年时道恭喜发财的语气说："真对不起，我又忘了时间啦！"

很久以后陈非对苏小麦说，他本来以为苏小麦会找一些常见的迟到借口，比如加班开会，比如堵车，比如犯阑尾炎，比如有人偷偷把她的表向前拨了三个小时，没想到她居然那么直白那么诚实，那个"又"字尤其传神，搞得自己满肚子的抱怨一下子说不出来了。何况苏小麦手里还拎着一个加了两个蛋的鸡蛋灌饼，说是怕陈非饿着特意在路上买的。陈非吃过鸡蛋灌饼，那些抱怨的说词就稀里糊涂全忘了。

陈非把页面上的链接问题、错别字问题、配图错误问题等等一一向苏小麦指出，苏小麦全盘虚心接受，后来陈非在苏小麦的狗窝里帮她找失落的东西时，苏小麦的脸上也总是那种谦虚谨慎任君折腾的表情。苏小麦说，她一辈子就是这么一个人，心眼大得能钻过去一辆卡车，所以如果有人要在这方面批评她，她绝不辩驳，当然批评完之后也绝无可能改进。

至于那只翩翩起舞的猪，苏小麦表示很无奈。她觉得一个包装机械展的网站已经无趣到了极点，如果再不添加一点有趣的成分，日后这个网站还有谁乐意看呢。当然如果陈非强烈要求，她也只能把这点有趣掐掉，反正网站不是她的，没人看也不碍着她什么事。

"我才不强烈要求呢，"陈非说，"是我们老板强烈要求的，老板最大，你照着他的要求去改就行了。我现在只强烈要求去吃饭，鸡蛋灌饼这种东西纯属开胃菜。"

"那就我请客好了，"苏小麦说，"算我迟到的赔罪。"

"那我需要好好选一个地方宰你一刀。"陈非严肃地说。

最后他挑了自己经常去吃盖饭当晚餐的一家成都小吃，好像全北京城的成都小吃都采用同一种装修，用整齐划一的圆凳硌食客的屁股。两个人坐在圆凳上吃了一份烤鱼，加上其他配菜，总共花了五十块钱——那时候猪肉还没涨价，大蒜还没人去炒，天还是蓝的水还是清的。苏小麦快乐地挑光了烤鱼里的藕片，快乐地付了账，然后走向了公交车站。

"你家不是在国贸附近么？"陈非很奇怪，"坐地铁更快啊，现在还能赶上末班车。"

"我要走路消消食，撑死了！"苏小麦头也不回地喊道。

过了几天苏小麦才招供，原来那天她忘了带公交卡，而晚上那顿烤鱼花掉了她钱包里剩下的所有钱，仅余一块大洋，坐地铁不够了，所以只能先坐公交车，再走三站路回家。陈非听完好不心疼，然后开始纳闷：我心疼什么呢？难道我看上了这个姑娘？

留恋校园型社会恐慌症

苏小麦一语成谶，网站做成之后果然没什么人访问，老板急得嗷嗷叫，恨不能伸手进显示器去拨弄比工资涨得还慢的计数器。陈非为了不让老板得焦虑症，弄了个自动刷新页面的小工具天天刷，后来索性直接让苏小麦改后台数据。老板见流量上去了，十分欣慰，也就不再焦虑了。

如果不用工具刷点击或者修改后台数据，计数器就会像一辆驴车，慢腾腾地走得从容不迫，用萝卜勾引也不能提速分毫，陈非做过比较，这个包装机械展的网站访问量还不如胡二的个人主页高。在被强行关闭之前，胡二的个人主页在网络上颇有些小名头，因为关心包装机械展的人很少，关心自己考试成绩的人很多。如果你想要考试及格，自己又没有能力（好比陈非的大学物理），就可以到网上联系胡二。商量好价格，自己做好假证交给胡二，胡二会替你解决一切问题。

很难考证北京城的假证件交易是什么时候兴起的，但那的确是一个很兴旺的产业，不信你就到大街上去逛一圈，十分钟内没有看到某个电线杆或者某堵墙上写着"办证

136××××××××",我输你一块钱。在一天中的任何一个时段,走上人大东门外的那座过街天桥,立马就会有一大票人围上来,嘴里嚷嚷着"办证!开发票!"你所能想到的地下交易都能找到路子。

如果有人想要找胡二帮他考试,比如说成人自考英语,那他首先应该登陆胡二的个人网站,在留言板上留言,说明考试的时间地点,留下QQ号。胡二上网时看到这条留言,确认自己那天没时间,于是请留言者另请高明。但倘若他有时间,就会加此人的QQ,谈妥价格和预付款,快递一张或几张自己的标准照过去。对方持此照去找人办好假的考试证、学生证之类,递回给胡二,胡二在约定时间去考试。有时候快递不方便,两人就直接见面。胡二的生意很有原则,考过了收全款,考不过连预付款都退,信誉卓著、童叟无欺。

根据考试的重要性和难度不同,胡二做一次枪手大概能收入一千至三千不等,除此之外他还做家教。总而言之,他不去寻找固定的工作,不像陈非那样在一个地方坐班坐到犯痔疮,而是寻求一切灵活的赚钱方式,以便节省时间看书考研。

陈非总是很难理解胡二对校园的迷恋。在他眼里,胡二是一个很聪明的人,不用天天自习也能保证考试不挂科的天才,干点什么不好?非要继续赖在校园里读书,憧憬着拿廉价补助给导师干活做冤大头的诡异生活。

退一万步说,他如果考航院的研,多半就上了。但胡二非认准北大,像南归的大雁一样百折不挠。

前面说了，胡二想办法在航院里面租到了房子，和其他两个室友一起挤一个六平米的小间。两位室友中一个是超市的促销员，天天早出晚归挣份微薄的薪水；一个在中关村弄了个摊位装电脑，专给不懂行的人装些深圳小厂出产的劣质主板显卡，名片上响亮地印着"××科技有限公司"，正处在艰辛的创业初期。后来胡二一度干起了装电脑的营生，就是在这位室友的摊位。

　　去中关村装电脑之前，胡二的生活是这样的。早晨六点四十，超市促销员起床去上班，他洗漱打理完毕大概在七点左右，出门前叫醒胡二。胡二于是起床，去二食堂喝一碗粥，吃两个包子一个茶叶蛋，然后到主楼去占座看书。碰上教室有人上课也不要紧，胡二把 MP3 的耳机一插，不会受到丝毫影响，当然也偶尔会遇到老师不讲情面把他赶出去的事情。他有时候也会在主南或者二号楼占位，但夏天非得主楼，不然别的教室里没空调，夏天蹲在里面和洗桑拿差不多。

　　看书看到中午，随便捡个食堂吃点东西，胡二就要午睡了。睡醒后他会做一些锻炼，跑步或是打篮球，然后就在屋子里看书，算着时间出门去做家教。有时候家教的地方很远，他只能把书带在身边，在公车和地铁上看。

　　家教的地方一般管一顿晚饭，所以胡二也不用额外吃晚饭，回到住处大概已经很晚了。这时候他要上网看看自己的留言板，看近期有没有替考的生意上门。之后他会在十一点准时睡觉，等着第二天重复前一天的生活。如果没有遇到替考或者陈非来访之类的事，胡二就会日复一日地这样重复着，一点也不嫌腻。

"大哥，你简直活得比我还乏味！"陈非有一次说，"好歹我每天打电话骚扰别人还能听到不同的骂人话。"

"这样多好，多有规律，"胡二说，"每次我在别人的课堂上听音乐被老师训斥时，我就会想，如果我真是在上他的课该有多好，哪怕他扣我期末分我也很高兴。"

陈非嗤之以鼻，"你当年直接挂几科不过，去复读好了，那样你就可以名正言顺地上课了。"

陈非后来经过认真分析，把胡二对校园的留恋定性为对社会的恐慌。众所周知，陈非和胡二这一代人是夹在中间上下为难的一代人，他们的父辈经历了上山下乡的苦难，大多数人被耽误了青春，于是把过多的希望压在这一代人的肩头，一旦发现他们与自己不一样立刻开始破口大骂，认为他们是垮掉的一代。

而这垮掉的一代考中学时发现遇上了素质教育，很难凭分数挑选重点中学；考大学时发现遇上了扩招，大学生的名头就像袁隆平种出的水稻，再也不是什么天之骄子；大学毕业时发现大学生就像狗一样满街乱走，任谁扔出一块骨头都有无数竞争者蜂拥而至。

而与此同时，整个社会在拿着放大镜观察着这一群人，把他们身上每一个瘊子都揪出来解剖，把自己这一生所受到过的侮辱和轻蔑都转化为侮辱他人、轻蔑他人的动力。

因此胡二不想进入社会也情有可原。他是个聪明的人，聪明到看清楚了前路上的每一处坎坷和泥泞，所以想要选择一条能令自己尽可能多平静一些的道路。

　　可惜这样的日子并没有平静太久。后来胡二还是去给室友装电脑去了，因为他的女朋友希望看到他有一份正经稳定的工作。虽然在中关村装电脑实在谈不上稳定，考虑到那些动不动就电容爆浆风扇罢工的劣质主板与显卡，要说有多正经也十分勉强，但那总算是工作，总算能提供一张印有"××科技有限公司工程师胡二"的漂亮名片，而不是个人网站上那几个暧昧的大字：竭诚为您提供服务——胡二。胡二本来想逃开社会，但在爱情的拉拽之下，还是回到了社会的轨道上，可见爱情的力量让人勇敢；而再后来胡二和女友分手了，又回到了之前的生活中，说明勇敢的人可以甩脱爱情的桎梏。

一切以平方米为换算单位

　　周一是任何一个上班族一周中最黑暗的日子。甜美的休憩仿佛还留有余香，眼前却已经驶来了连续工作五天的黑色列车，让生活一下子从天堂跌到地狱。对陈非而言，周一的烦闷还有另一层含义，又有五天没法见到苏小麦了。

　　其实苏小麦也曾经搬过来和陈非同居过一个月，但一个月后她忍无可忍地放弃了，因为上班实在太远了。陈非和苏小麦很不幸地一个在西边上班，一个在东边上班，苏小麦过来住，每天早晚就得跑个通城。那一个月看似甜蜜，实则两人都沉浸在苏小麦无穷无尽的抱怨中难以自拔。苏小麦每天下班回到家天已经黑透了，而她累得像条死狗一样，只剩下倒在床上喘气儿的力气了。这样的劳累让她周末也无精打采，不睡足十二个小时坚决不肯起床，因为平时她都要六点起床才能保证不迟到，或者说保证不要迟到得太离谱。两人同居了一个月，结果是，生活比不同居的时候还要无聊。

　　但这个周日晚上，当陈非陪着苏小麦来到地铁站时，苏小麦忽然说："我搬过来住吧。"

　　陈非没反应过来，"什么？上次你过来住过一个月的，差点累成肺气肿，你忘了？"

"没忘。但我还是想搬过来住。"苏小麦说。

陈非颇有些诧异，不大明白对方的用意。苏小麦生气了，在陈非额头上狠狠弹了一下，"你现在就这么笨，四十岁之后还不得老年痴呆啊？我搬过来，我们就可以省掉我那份房钱啊！要不抓紧多攒点钱封住老太婆的嘴，她说不定真的要翻脸。"

原来是为了这个！陈非一阵感动，紧接着忽然一阵悲从中来。人言猫吃鱼、狗吃肉、奥特曼打小怪兽，这就是幸福的标准，倘若变成了奥特曼吃肉、狗吃鱼、猫打小怪兽，那就意味着人生的秩序出现了极大的问题。眼下苏小麦懂得节省了，苏小麦都在考虑攒钱了，基本就相当于奥特曼吃肉、狗吃鱼、猫打小怪兽，说明人生已经被逼到了某种分上了。

"先缓缓吧，"陈非说，"我再去想想办法。节省这千儿八百块有什么用？一年还凑不足一个平方。"

自从太后大驾还乡之后，陈非就发现自己得了换算强迫症，无论花什么钱，他首先要把这笔钱换算成买房的平方数，然后再估量划算不划算。陈非不奢望买四环以内的房子，以边远地区二手房的价格作为参考目标。比如说，他本来想让自己从大学时代就开始使用、已经超期服役的手提电脑更新换代一下，一估算，就算买便宜货，也是 0.1 个平方消失了，遂打消这个念头。

又比如，他本来对展会期间在展馆值班这回事充满厌恶，过去总喜欢找借口推脱掉，这次的包装机械展却欣然接受了，因为出展每天有两百现大洋的补助。展会一共五天，可以换回一千块，那也是 0.02 个平方了。

法兰克福灯具展的项目彻底没法做了，那个原本订了一个摊位的福建土老财在即将交钱的时刻变卦，又不想去了。

"陈经理，你也得理解我呀！我不懂洋文，出去肯定要聘翻译，我老婆一听说就不让我去了，说我和女翻译在一块迟早出事。我说我可以请男翻译，她说出了门，是黑是白全凭我一张嘴，如果我一定要去，那她也得跟着去。那样成本太高了……不不不不，不是说交给你的人员费又多一份，女人家出个国还不得大包小包买东西呀，她要是跟着我出去转一圈，别说 9 个平方，36 个平方的钱都被她败掉了……总之对不起了陈经理，我没法跟你出去了，摊位也不要了，再见。"

陈非恶狠狠地砸掉电话，把全办公室的人都吓了一跳。不只是黄了一笔生意，土老财拿标准摊位的平米数打比方又让他产生了悲哀的联想，而经理这个称呼也显得很有讽刺意味。这家公司所有人的头衔都是经理，最底层的业务员个个都是业务经理，再往上有高级业务经理、主管业务经理等等，和我国足球界硬要把乙级称为甲 B 有异曲同工之妙。许多年前一个经理的头衔可以让人肃然起敬，那意味着票子车子和大房子，而现在北京城的房子越来越值钱，经理早就臭大街了。

不用去了，少了这土老财的摊位费，带着剩下两个人去参观一圈基本赚不到什么钱，如果出点什么岔子搞不好还要赔钱。陈非自己倒是无所谓，赔的是公司的钱，自己至少能拿到五百欧元出国零用费，大不了咬紧牙关一毛不拔，带回家还能换成几千块人民币——那也是零点几个平方了。但预算做出来，在处长那里就注定通不过，何必吃力不讨好。

这一天剩下的时间里陈非在网上四处乱找，希望能找到一个现在开始做还来得及的新项目。灯具展做不成了，总得从其他的坑里刨几个土豆，不然离太后要的房子岂不是越来越远。他在国外的展会网站上看来看去，最后一个叫作"欧洲高尔夫"的展览吸引了他。

陈非的公司虽然没钱，但总能变出钱来招待客人。前面提到，包装机械展请了个某包装协会的会长来充场面，为了请动这位大仙，老板亲自出面请他打过一场高尔夫球。那一天陈非也在一旁恭陪，脸上的肌肉都笑僵了，挥了几杆都不得要领，要么直接打在地上，要么击空。会长打累了，休息的时候说，你们搞个高尔夫球展多好。这项运动在国内还没有普及开，但是喜欢的人不少，迟早会大热起来的。中国有钱人多的是，外国有钱人玩的花样，迟早一样样被移植到中国来，高尔夫大有前途。

当时老板唯唯诺诺地听着，估计也没怎么往心里去，陈非这会儿却想起了该会长的这一番话，心里一动。他在网上查了查，高尔夫用品是一个相当有潜力的行业，每年有三四百万欧洲人打高尔夫，能购买两百万双高尔夫鞋，八百万根球杆，上千万打高尔夫球。而这个在德国慕尼黑开展的欧洲高尔夫——国际高尔夫贸易展览会，每年有参展商超过三百家，来自三十来个国家，并能吸引六千多专业贸易观众。

更进一步的数据说明，全球大部分的高尔夫用品竟然都产自中国，可见厂商不少，忽悠几个傻帽出国大有可为。就是它了，陈非想，希望能靠着这小小的圆球帮我多添几个平方吧。

陈非当天就把项目申请报告交给了一处处长，处长被陈非充满蛊惑性的语言所煽动，毫不犹豫地签了字，然后转交老板。老板也被煽动了一把，大赞陈非眼光独具，称自己要和副总再研究论证一番。

论证个屁，陈非实在太了解老板的作风了，他老人家只不过要显得自己并非无所事事，所以会把报告先压上几天，过两天再大笔一挥批准了事。所谓领导的作风一般都是这样，绝不能让下属觉得他们太浅薄，即便自己是真浅薄，也要提起铲子往自己心口上掏出个洞来。

此后的一周陈非又陷入了忙碌，忙着校对本次展会的会刊。所谓会刊，其实就是一本印刷得很糟糕的可厚可薄可大可小的册子，把所有的展商信息都汇总在上面，很多专业观众大老远跑一趟图的就是这本会刊。所以任何办展会的人都不会放过在会刊上小小捞一笔的机会。成本几块钱的册子往往会卖到八十块钱或者一百块钱一本，不讲价，来晚了还多半已经被抢光了。

除此之外他还要确认酒店预订名单，确保每个通过他订了房的展商或是专业观众最后都能拿到房，不然人家事到临头发现自己只能露宿街头，还不得找陈非拼命。经过一番核对，他果然发现某家五星级酒店漏掉了两张他传真过去的酒店确认书，但此时该酒店所有客房都已经订满，实在匀不出来。他只能临时通知这两家客户改订其他酒店，理所当然被一通劈头盖脸的臭骂。陈非早已对各种臭骂习以为常，面带微笑地听完，镇定地放下听筒。

这样枯燥细碎的工作填充着陈非每一天的八小时，并且假如他不换工作的话，将会填充他未来几十年的八小时。他曾经不止一次感到深深的厌倦，并且陷入了对未来的无可名状的恐慌，但现在他的面前只有一个不断跳动的数字，后面的单位是平方米。这个数字像一把达摩克利斯之剑，高悬在陈非的头顶，每跳动一次就是一针鸡血，逼着他调动起每一个细胞里的能量为之奋战。

包装机械展开幕前一天，北京城飘起了小雨，天空中云层厚重阴霾，体现出长期抗战的决心。老板和处长叫苦不迭，陈非在背后偷笑，看到老板的抬头纹越来越深总是能让他开心。正准备回家，处长叫住了他。

"武宁嗓子发炎了，明天没法给黄司长做翻译了，"处长说，"你去做吧。"

陈非没有二话，接过那页开幕致辞的翻译稿。黄司长就是那位会长，人们习惯用他当年在工业部的职位称呼，以示谄媚之情。黄司长将在明天的包装机械展开幕式上致辞，本来安排了陈非的女同事武宁念翻译稿——武宁长得漂亮，胸围有35C，向来在一切需要花瓶的场合冲锋陷阵。现在武宁病了，重担就落到了上下一般粗的陈非身上。这让陈非倍感压力。

"明天广大观众一定很失望，"陈非晚上回到家对李萌说，"本来有 35C 可以看，最后只能看到 43A。"

李萌吃吃地笑，"你那件值钱的西服还穿得上么？可别在肚子上撑出个口子来。几年前你刚进公司的时候还挺人模狗样的，老娘看了都要流点口水，现在就是个大饭桶，还是腰上带聚能环的大饭桶。"

李萌向来口无遮拦，和苏小麦尤其合得来，两个女人经常聚在一起叽叽喳喳编派陈非的不是，让他只能在一边干瞪眼。但李萌这话没有瞎说，陈非刚进公司的时候还是满精神的，一米八的个头，体重只有六十五公斤，正是天生的衣服架子。几年过去了，公司的工作琐碎繁杂，反而把他催得膘肥体壮，脸上两道横肉，衣服架子成了肉架子。陈非一度百思不得其解，这几天被太后逼得愁肠满腹，反倒有了点小领悟：人没有压力就容易长胖。

曾几何时，陈非一度觉得自己还算活得有滋有味。有份稳定体面的工作，能按月拿到薪水；有个麻雀般喳喳叫的女朋友，能牵在街上耍宝；有一些性情投合的狐朋狗友，有事没事可以聚在一起聊天打屁，大家一起在北京城逍遥自在地慢慢变老。所谓人生也就不过是这样吧。

现在他才知道自己差得有多远。太后一席话惊醒梦中人，自己手里的北京户口其实就是一张纸，这不仅仅是因为房东随时可以把自己赶出去流落街头。没有房子就好像没有根，甚至不能让太后放心把女儿交给他。

64

陈非站在镜子前，看着里面那个熟悉的大胖子，身上的西服裹得有如疯人院里的拘束衣。他感到自己像鱼一样快乐地游向北京，却只是钻进了一张大网里。你当然可以说，这张网也是放在北京这个大水池子里的，你进了网也就算进了北京，但你和北京之间，始终只能透过网眼来交流，你和北京之间，始终都隔了这道网，就像一条翻白了眼在网里死命挣扎的胖头鱼。

行高于人，众必非之

翻译稿佶屈聱牙，几乎每一句话都是废话，但倘若没有这些废话，让黄司长之流的领导无话可说，似乎也不太好，所以废话的存在是有价值的。陈非把这些废话来回念了好几遍，念到流畅不出错，这才躺下睡觉。窗外的雨依旧下个不停，把降温的讯息带给北京。北京是一个几乎没有春天和秋天的地方，夏天刚过似乎没多久，几场大雨一浇，气温打着滚地往下降，很快就要没有暖气不能活了。陈非在睡梦中拉紧了被子，开始想念苏小麦。

领导说了，要早点到现场做准备，所以陈非比往常早半个小时起床。但由于下雨，北京人民都料到公车会很挤，所以也纷纷提前半小时起床，陈非到了公车站，仍然一眼望去全是人，好像比平时还多点。这些人手里拎着还在滴水的雨伞，裤脚上全是泥，让陈非庆幸自己作出了明智的选择：把西服西裤装到袋子里，到单位再换。领带也在袋子里，照例是苏小麦已经提前替他打好了的，到时候只需要套在脖子上拉紧就行了。

陈非挤成贴饼子来到公司，然后坐公司的车到了展馆。

该展馆建于建国初年，比陈非父亲的年纪还大，这个年纪的人都由于年龄因素而难免犯点小毛病，尤其排水系统，展馆也不例外。现在展馆前广场的排水系统就比较糟糕，一天一夜的大雨之后，广场上基本可以打水球。处长看着地上荡漾的水波，当场眼前一黑。

但开幕式仍然要按计划进行。广场上除了水空无一人，所有人都躲进了展馆里，黄司长毕竟是见过大场面的人，不动声色，仍旧准备站到台阶上开始致辞。

陈非把领带扶正，正准备跟过去，处长拦住了他，"还是让老罗去吧。"老罗是陈非的另一位同事，就是卫生纸事件中所有人把目光投过去的对象。

"为什么？"陈非不解。

"你太高了。"处长指指黄司长。陈非恍悟，黄司长是经历过内战和三年自然灾害的人，估计在那时候营养不良，海拔严重不足，和自己站在一起极度不协调，眼花的会以为陈非送小孩上学。而老罗好歹比陈非矮个十公分，看来没那么离谱。其实处长出马最好，遗憾的是他只认得汉语拼音。

为了黄司长的形象，陈非退位让贤躲到一边，看着黄司长和老罗对着空空荡荡的广场念完了稿子。老罗在处理文字资料方面的英文水平尚可，但和大部分他的同龄人差不多，口语不佳，何况这份稿子他一个单词都没看过。陈非一边听着老罗磕磕巴巴，一边偷笑。

致辞结束后，老罗还磨磨蹭蹭不想回去，陈非稍微一愣神，很快猜到了他的用意。这个展馆的盒饭很好吃，比公司食堂的菜饭味道好多了，老罗是想混一顿午饭然后再回去。

　　老罗是个很有意思的人。前面说了，当办公室主任为了卫生纸被盗事件而作我佛如来狮子吼时，所有人都偷偷看向老罗。而老罗还有很多类似的轶事。不幸的是，办公室里有陈非这样多嘴多舌的货色，所以后来老罗的事迹被广为传播，甚至被编成小段子放到了网上。幸好老罗除了利用单位宽带下载爱情动作片外，并不怎么上网，所以也就不会看到那些挺伤人的小段子了。

　　第一个小段子说老罗自盘古初开天地起就从来没有自己买过卫生纸。他经常下班后继续待在办公室作加班状，以便等所有人都离开后，他可以去卫生间把没用完的卫生纸统统拿走。国企装阔气，上的都是二三十块钱一袋的好纸，赚得很。此外老罗最绝的就是收集各处餐馆的餐巾纸。当然老罗自己是从来不上餐馆的，他若去餐馆，必然是公费腐败。

　　老罗在餐厅里坐定了，每隔三分钟就会招呼服务员："小姐，再帮我来几张餐巾纸。"服务员都以为他的下巴上有漏洞。遇到有尊严的服务员，会索性把整包的餐巾纸扔到他面前。老罗不以为忤，把所有餐巾纸收集起来，装进包里。陈非进单位后，听说此事，十分好奇，于是某一天假装找老罗借纸，老罗拉开抽屉，取出一个包装整齐的塑料袋，里面花花绿绿全是各种不同餐厅的餐巾纸。如果有一天有人来调查公司的腐败问题，只需要看看老罗的餐巾纸，就能知道公司究竟在哪些地方公款吃喝过。

第二个小段子说老罗自耶稣他老人家在马棚里降生后就从来没有买过香皂。公司的卫生间除了卫生纸总失踪，洗手液也损耗奇快，打扫卫生间的工人以为闹鬼，其实洗手液都被老罗挤走了。老罗有一个金属的防漏水杯，平时拿在手上好似一个茶客，其实里面全部装着洗手液。后来公司的人每每打趣说谁占公家便宜了，就说："潘海天！你丫又挤公家的洗手液了！"

这个段子后来流传到了苏小麦的公司。有一次苏小麦和一个同事去吃肯德基，苏小麦有好习惯，饭前要洗手，到了洗手处发现洗手液没了，向同事抱怨，同事严肃地说："一定是老罗刚刚来过。"

第三个小段子说，老罗爱好爱情动作片，却舍不得自己在家装宽带，于是总是用公司的网络下，下在公司发给的笔记本里带走。由于下班后该笔记本要跟着他回家播放爱情动作片，没办法再下载，所以老罗总是利用上班时间下载。老罗有蚂蚁般的坚韧和小智慧，什么软件更能压榨带宽就用什么，经常搞得公司网速奇慢，又找不到原因。后来网管终于发现有人用吸血软件疯狂下载，于是把一切 P2P 软件统统屏蔽，断了老罗的娱乐生活。到这个时候，老罗的下载量已经是以 TB 为单位了。

第四个小段子说，公司补贴手机费并不是实报实销，而是每月发固定数额现金，所以老罗一边领着手机费一边自己没买过手机。后来一次到上海出差办展，要与许多展商联络，无奈之下买了个一百块钱的二手机（人家把手机不小心掉马桶里了，故而贱卖之），充进去十块钱话费，然后一个电话都不接，来了电话就用宾馆的固定电话打回去。手机费不报销，宾馆的一切费用都是报销的，老罗这笔账算得很清楚。后来展会结束了，老罗往手机上喷了一层香水，一百二十块钱卖给了别人，倒赚十块钱，堪称传奇。

老罗就是这样一个人，最可贵的在于，他很清楚自己是什么人。无论同事们如何嘲笑他挖苦他轻蔑他编派他，他都报以九阳神功的最高境界：他强由他强，清风拂山冈；他横任他横，明月照大江。老罗和陈非一样来自外地，白手起家，用了六年时间攒出一套按揭的房子，又用了三年时间买了辆车。虽然他那时的房价远比现在要低，虽然他直到现在并无妻室，但那种精神意志令陈非望尘莫及。

陈非经常把老罗的笑话拿来和苏小麦分享，苏小麦不高兴的时候，听到老罗的事迹就会笑起来。但最近一段时间，他每每讲起老罗的故事时就会觉得一种厌恶涌上心头，却并不明白这种厌恶来自何方。这时候听着老罗在黄司长身边磕磕巴巴，他忽然想明白了，其实他是在害怕，害怕自己有一天也会变成老罗这样的人。老罗的为人让他取笑，但老罗的房子却是何等地让他羡慕，让他嫉妒。为了一套房子而变成老罗，值得乎？不值乎？

和丈母娘在梦境中的亲切对话也一次次出现不同的变种，他甚至做过这样的梦，梦见自己回到了古代，苏小麦正是某家大富人家的大小姐。太后为了选婿，宣布比武招亲，陈非化身古代少侠，一路拳脚打将过去，击败所有对手，眼看就可以美人在抱，苏小麦正躲在布帘后面偷偷给他抛媚眼。忽然斜刺里杀出老罗，对着太后大喊："吾在京城有房！"太后大喜，当即宣布老罗获胜。陈非大急，上前待要申辩，太后大喝一声："咄！房子都没有，却来打什么酱油？左右与我撵出去！"一个高大威猛的昆仑奴从地下钻出来，一脚把他踢到半空中。

陈非从梦里醒来，摸摸额头上的冷汗，忽然就觉得自己很想哭。窗外寂静无声，巨大的城市在沉睡。

王小骚的曲线救国

　　黄司长讲完了，老罗磕巴完了，包装机械展进入平淡乏味的展览流程。此前寄出去的那些邀请函起了一定的作用，每天都有三三两两持邀请函前来参观的展商，会刊也比前两届多卖了百八十本。但总体而言，这仍然是个门可罗雀的展会，老板恨不能雇临时演员来冒充观众。

　　陈非每天枯坐在展馆门口，卖门票、卖会刊，随时等待解决展商的问题。但其实展商们不会有什么问题，而买门票和会刊的人也不多，所以大部分时候他都闲着。

　　无聊的时候，陈非就会和请来临时帮忙的大学生聊天。这些学生碰巧来自航院，都是陈非的师妹，陈非随便掏几个压箱底的航院笑话，逗得师妹们哈哈大乐。大学里的姑娘分傻的和不傻的两种，傻的会以为陈非这样西装革履会讲点荤段子的白领真乃人才也，好生让人仰慕；不傻的就会透过现象看本质。

　　比如一个不傻的师妹突然发问："学长，你买房子没有？"这话问得陈非浑身不自在：真他妈到哪儿都逃不开的话题。他很诚实地回答："没有，房价太高了，买不起。"

　　"那你为什么不找一个北京女孩做老婆呢？"师妹很认

72

真地说，"娶一个北京老婆，不就有房子了嘛。"

这话问得陈非一时语塞。找一个北京女孩做老婆，这句话本身含有相当的功利成分在里面，"北京"是一个很强势的定语，一定程度上抹杀了"女孩"本身的光辉。它让恋爱和婚姻变得更像是一种投资，一种交易。

但它又是那么地真实，真实得就在身边，触手可及。陈非想起了王小骚。

王小骚是个外号，已经替代了真名。王小骚人如其名，十分十分地骚。

上大学的时候，杜愚坚持每天上自习，王小骚坚持每天健身。他每天早起要跑三千米，晚上睡觉前要举哑铃、做仰卧起坐，弄得一身疙疙瘩瘩的小肌肉。

一天中剩下的时间他就用来对镜贴花黄。正着梳，反着梳，倒立着梳，总之梳到每一根毛都妥妥帖帖无懈可击，再用厚厚一层发胶如万能胶一般把毛发粘牢。王小骚也是为数不多每天出门前要往身上涂抹各种乳液的男性生物，用鼻子闻起来男女不辨。

王小骚有很多事迹值得一提。比如上课的时候如果你找不到王小骚，只需要往姑娘堆里看，一定能看到王小骚坐在几个姑娘中间，一会儿看看这个一会儿看看那个，脸上带着矜持的笑容侃侃而谈。比如分组做调查报告之类的期末作业，他一定会想方设法和女生搭档来做。偶尔组织集体旅游的时候，王小骚宛如护花使者，跑前跑后地照料女性，不知疲累，众人皆赞他每天的三千米不是白跑的。

航院有一种非常了不起的体育考评方式，叫作体能锻炼走廊，简称"TD线"，又被称为"土豆线"，在土豆线上刷卡完成任务就叫作"刷土豆"。之所以说它了不起，是因为它是全航院最风靡的运动，绝大多数人都必须每学期完成好几十次，不然航院不让你毕业。想要逃避刷土豆有两种方法，一种是证明你身体很差，比如先天性心脏病什么的，可以"免体"；另一种是证明你身体很强，体育考试拿到高分，称之为"腾飞"，就可以不必刷土豆了。

王小骚凭着一身肌肉轻松腾飞，但那并不意味着他从此不刷土豆，事实上他担负着至少替四位女性代刷土豆的重任。刷土豆的记录方式是刷卡，有人一次刷两张卡，被抓住了要重罚。王小骚担心受罚，所以每次只刷一张卡，一天要跑四次，比航院任何一个生物刷的土豆都多，江湖人称"土豆王子"。为此他要准备两顶帽子和两件外套，有时候遇到眼贼的监视老师还得配一副平光镜。尽管如此，一学期每天四次的出镜率，还是让老师们始终觉得这张脸异常熟悉，并开始为中国的年轻人越长越相像而忧心忡忡。

那时候没人太在意王小骚的种种行为，因为林子大了什么鸟都有，王小骚这只鸟固然并不十分招人喜欢，要说有多么惹人讨厌倒也未必——起码他没有成天贴着男人腻腻乎乎，那样会出人命的。虽然偶尔有人发觉王小骚代刷土豆的对象基本都是土生土长的北京姑娘，偶尔有人发觉王小骚总是帮土生土长的北京姑娘做编程作业，但也并没有产生太宽泛的联想。上学的人都很傻,想事情只想到眼前,男男女女凑成一对跑到教学区的导弹上面刻字:"陈大狗爱王虎妞一生一世"。几年后离开学校,难免有时对着王虎妞的照片发愣,花十秒钟才能想得起这是谁。

王小骚后来进了一个出版机构,在该机构下属的一家畜牧业杂志工作。那是一本几乎只能靠内部订阅的典型的我国行业杂志,效益可想而知。王小骚分配的员工宿舍是一间半地下室,两人合住,中间隔条帘子。这个地下室陈非去参观过,毛巾怎么拧都不可能干,皮鞋放一夜就能长出绚烂的白毛。而这份工作的每月工资也不多。但王小骚很满意,因为他老家很穷,回家只能牵着牛种地,现在眼前的牛都只存在于平面图片上,已经是历史的进步了。

陈非的包装机械展说起来还曲曲折折和王小骚发生了一些联系,因为包装机械里包括液体包装机,可以用来封装牛奶,而牛奶显然就属于畜牧业了。当初为了这个展会能扩大影响,全办公室绞尽脑汁,陈非就想到了这一层联系,建议和王小骚的畜牧业杂志合作,公司赠送杂志摊位,杂志免费替公司打广告。处长对陈非的进取精神甚为满意,连夸"年轻人就是脑子灵活"。

而该畜牧业杂志显然也闲得没什么事做,有人赠送摊位在展馆里亮亮相何乐而不为?双方一拍即合,开始合作。无巧不巧,或者说必然如此,对方派来接洽的就是王小骚。两人见面后都有些讪讪的,因为王小骚整个大学期间和其他雄性动物始终都并不亲近,没有那种一起撒酒疯一起翻教学区大门一起抄作业一起半夜偷偷溜到学院计算机房联星际的亲切感。何况陈非大学时没少编派王小骚的段子，王小骚未必不知道那些段子的出处。

但不管怎样，老同学毕竟是老同学，不是朋友也算难友。气氛沉闷了一小会儿，聊起一些过往旧事，慢慢还是亲热了起来。当时太后还没有二次临京，陈非的心情也并没有像现在这么恶劣。他把苏小麦的照片给王小骚看了看，顺便问起王小骚的婚恋状况——这个年龄的人总喜欢谈论婚恋状况。

王小骚的脸上立时就有点尴尬，顿了顿，还是点点头："嗯，谈了一个女朋友，已经在考虑结婚的事了。"

"那我得恭喜你了，"陈非真心地说，有老同学谈婚论嫁了，总是好事，"媳妇儿哪儿人？"

王小骚挺了挺胸，"北京人。"

"那可不容易，"陈非说，"择日不如撞日，今天晚上约出来，我也带上女朋友，大家一起吃个饭吧。"这一天恰好苏小麦轮休，正待在陈非家里杀人，不然两人一东一西，光跑路就跑死了，陈非不会提出这种建议。

王小骚又是一阵犹豫，看得陈非老大不爽，"我说，北京媳妇儿也不至于金贵到带出来亮个相都舍不得吧？"

"那好吧，就今天晚上。"王小骚终于同意了。但看得出来他还是不太痛快。陈非当场就有点后悔，看这架势还不如不约，难道王小骚真有金屋藏娇之志？

北京城的下班时间被称为晚高峰，和早高峰一样，都是京城一景。到了这个时候，几百万人从公司涌出来，蚂蚁归巢般涌向家门，如果从空中俯瞰，会觉得北京城的每一条街都像有一条大蛇在缓缓蠕动爬行。晚高峰的时候，公交车玩命地抢道，小车自以为聪明地从一条道并到另一条道，过一会儿再并回来，不小心就要发生剐蹭。坐在车上的乘客们麻木不仁，眼神空洞地看着窗外，耳边不停听着收音机里路况信息的聒噪："……紫竹桥往南方向拥堵，车辆行驶缓慢……"

所以下班时不着急回家，就近找点乐子错开晚高峰也是一个不错的选择。陈非就近挑选了公司楼下不远的一家小肥羊，打电话把苏小麦叫了出来，苏小麦很快赶到。三人坐在桌边喝了半小时茶，王小骚的未婚妻也来了。

这时候陈非才明白过来为什么王小骚不愿让别人看到她，他不是金屋藏娇，而是怕别人取笑。该未婚妻完全就是个庞然大物，看来比一百八十斤的陈非还要粗壮，脸尤其大，就像是正常的人脸外又套了一层模子，下巴可以分为三层。她一屁股坐下时，身下的椅子都发出不堪重负的呻吟声。而王小骚虽然一身小肌肉，身量只属于轻量级，和未婚妻放在一起，就像是斑马与河马的区别。

苏小麦城府不深，当场就想要发笑，陈非只能不断在桌下掐她的胳膊，后来回家发现掐出了一片青肿。王小骚一脸的听天由命，过了好半天才想起要介绍一下未婚妻。

四个人一边涮肉一边闲聊，陈非发现不单是外形难以匹配，王小骚和他的未婚妻在内容物方面也相差甚多。王小骚当年之所以被称为小骚，绝不仅仅是因为他总钻花丛，此人虽不像杜愚那样擅舞文弄墨，平时好歹也是诗词不离口的骚人一只，不然光凭一身小肌肉想要常往花丛里混迹是不可能的。而他的这位未婚妻从谈吐就能听出是典型的粗放型大姐，集纯朴、迟钝、幽默感为负数等等优点于一身。当她哈哈大笑起来的时候，小肥羊的窗户似乎都在共振。

陈非一直在注意王小骚的表情，一顿小肥羊快吃完了，他并没有从对方的脸上看出该未婚妻吸引王小骚的理由。王小骚的脸基本和晚高峰时段公车里的乘客差不多，无所事事，麻木不仁。这可不像他在大学里飞入花丛中时的神采飞扬。那时候人们专门做过总结，认为王小骚的笑增之一分则太淫荡，减之一分则太弱智，属于无懈可击恰到好处的虚伪笑容。而现在，王小骚甚至不愿意挂出半点虚伪的笑容，正像一匹斑马在河马身边感受不到同类的融融暖意。

王小骚的恋爱生活并不如意，陈非很容易就能得出这个结论，但为什么他仍然和这个大姐发展到了准备结婚的地步？那时候陈非隐隐约约想到了一点，没有想得太深入。现在被身边不傻的师妹提醒一下，他终于悟道了。

陈非慢慢回想着王小骚过往的一切，这才发现，其实真正从一开始就明白自己想要什么的，只有王小骚一个人。如前所述，王小骚来自西北农村，靠着助学贷款才能读完四年大学，直到现在都还在一点一点还贷。那时候申请助学贷款是一种流行，并且几乎没有任何审查甄别机制，比尔盖茨的儿子来了也能拿到贷款。陈非隔壁宿舍一个山西煤老板的儿子就申请了助学贷款，每年拿到几千块钱就跑出去大吃一顿，吃完贷款也就没了。而等到毕业之后，他也绝不会去还贷，大不了留下一个不良记录在银行里，煤老板的儿子怕个屁。

但王小骚不同，他没有后援，没有根基，没有靠山，一切的一切都要靠那一身小肌肉来换取。他在大学里四年没有回过一次家，放假的时候就去看宿舍楼或者做保安挣钱。他把有限的零用放在自己的行头上，然后顿顿白菜豆腐，充其量加点榨菜。毕业后他住在半地下室，努力保证自己的脑子不要受潮，为了自己在北京的命运而打拼。

现在王小骚找到了解决方案，虽然未必是最好的解决方案，但关键在于可行。他可能得不到真正的爱情，但可以换来一个本地老婆，这意味着在北京落地生根的障碍不复存在了。他可以和他的北京胖老婆一起住在属于自己的房子里，在北京日复一日等待着老死。人们并不能个个都生于北京，这说明所谓人生来平等只是一句屁话；但有些人一辈子只能用土坷垃擦屁股，有些人——比如王小骚——就可以安稳地在北京的房子里躺在北京老婆身边，说明平等是可以通过努力去争取的。王小骚争取到了，不管他是否会为此而快活，他终究是人生的赢家。

其实从户口的意义上来说，我他妈的也是个北京人啊，陈非悲哀地想。可惜现在户口对他毫无意义，有意义的是钱、钞票、人民币——美金他也不反对。倘若户口是一种可以买卖的东西，他就要把自己的户口毫不迟疑地扔出去卖掉，换取回苏小麦他娘所需要的平方米。

首付与大学物理

包装机械展在平淡中谢幕，相比上届，展商和专业观众略有增加，但老板要求在网站上大肆吹捧一番，于是陈非又开始捏造数据，然后让苏小麦放到网站上去。

从进入这家公司开始，他就不断进行各种仿冒造假活动。他制作过假的国外邀请函，以便让公司掏钱请黄司长出国转悠一圈，到韩国吃点泡菜，到日本泡泡温泉。他制作过假的在职证明书，以方便展商带着自己的二奶一起出国参加展会，其实也就是顺道旅游。他去参观各种各样的其他公司办的展会，冒充是专业观众，偷偷给展商塞自己公司的展会资料，并且努力尝试白蹭会刊。做这些事的时候，他总是难免想起自己当年做的假成绩单，以及胡二持之以救他性命的假准考证，心里隐隐有点温馨。

欧洲高尔夫的项目也终于被批准了。陈非开始在网上大肆收集他所能找到的高尔夫生产厂家，准备开始电话骚扰。能不能尽快摆平太后，就看这个展的效益了。

说到太后，苏小麦又有一肚子可以抱怨的。太后给她打电话越来越勤快，中心思想只有一个：快点踹掉陈非。

"昨天晚上我们差点又吵起来。"苏小麦在周六晚上对陈非说。

"她又建议你踹掉我？"陈非问。

"要不还能是什么？建议我赶紧嫁给你？"苏小麦撇撇嘴，"真不知道怎么才能把老太婆打发掉。要不然我干脆每天回家就关手机拔电话线。"

"乱弹琴，老太婆还不得再跑一趟北京来看看发生了什么，"陈非说，"实在不行的话，我倒有个主意，你假装和我分手，告诉她我们已经掰了。反正隔着上千公里，你说什么她也看不到。"

"这一招不会管用的，"苏小麦叹口气，"你以为我没想过？我早就拿这个去试探过老太婆的口风，老太婆高兴得要死，马上要给我安排相亲。她在北京好像有一打狐朋狗友，每个手里都捏着一个两个大龄未婚男，都是急得嗷嗷待哺的那种，老太婆眼红了好久了，就想随便找一个有房有车的把我塞过去，然后一劳永逸地解决问题。"

"那你可得小心了，"陈非一本正经地说，"在北京这种地方，如果一个有房有车的男人还大龄未婚，那他一定有很严重的问题，要不然就长得歪瓜裂枣开奥运会都只能关在家里不让上街，要不然就是有些功能性的缺陷，好比一个拧不出水的水龙头……"

苏小麦抓起枕头劈头盖脸朝陈非砸过去，陈非奋起反击。两人一通开心地打闹，似乎在打闹中问题就能得到解决，但事实上，枕头是枕头，问题是问题，二者泾渭分明，谁也解决不了谁。

"你说……我们找人借钱买房行不行？借点钱，凑足首付，然后慢慢还。"打闹了一阵之后，陈非忽然说。

苏小麦扬起的枕头停在了半空中，然后灰溜溜地掉到床上。

"借钱买房的话，压力会很大的哎，"苏小麦说，"又要还银行的房贷，又要还首付，万一我们的工作出了点什么问题，那就麻烦了。"

"压力再大也不比被太后枪毙掉的压力大，"陈非翘起拇指和食指，比出一个手枪的形状，"车到山前必有路，到时候实在不行老子卖肾去。"

"那也得有人要啊，"苏小麦哼哼一声，"别高估了你的价值，当猪下水卖人家还嫌脂肪含量过高呢。说真的，如果你真想借钱，能找谁借？"

陈非想了一会儿，从电脑桌上拿过记事本，用笔在上面划拉着，"首先太后没可能。我爹娘是没什么希望的，他们当年恨不得我连高中都不要上，直接去读职高好挣钱，现在我爹还指望我给他买车呢。"

"我家亲戚也都是挣工资的，而且因为我爹娘的原因，从小和他们的关系都不是太好。我也就是和我二舅亲一点，从他身上……也许能借到几万？不会更多了。"

"我的亲戚基本没可能，都和老太婆穿一条裤子的，"苏小麦也开始动脑子，"不过我和我堂姐从小关系好，她也许

82

可以瞒着不告诉老太婆，只是她也没什么钱，能借到两三万就算不错了吧。"

两个人凑来凑去，所有的亲戚似乎就只有这两位有可能支援一点，加在一起也就十万上下，和陈非的积蓄凑一块儿仍然不够一个像样的首付。

算计完亲戚再算计朋友，更是只能干瞪眼。似乎人以类聚是一个不变的真理，穷人的朋友都是穷人，毕业后还能被陈非经常拎出来喝点小酒的，都是胡二、杜愚之流自身难保的货色，不找陈非借钱就不错了。人的生活圈子就是这样，假如有一群人到哪儿都是开着奔驰宝马，你一个成天挤公交车的就很难乐意和他们凑在一块——人家也未必乐意每次都绕个弯把你捎回家。老宋倒算是一个收入比较高的，但这孙子是北京土著，没有后顾之忧，所以压根不存钱，挣得多花得也快，现在都换到第三辆车了，还刚刚按揭了第二套房，没什么积蓄可供出借。

"再想想办法吧。"最后陈非长叹一声说。而通常当一个人说出"再想想办法"的时候，往往意味着他已经毫无办法了。

若干年前陈非也遇到过毫无办法的时刻，那就是他的大学物理。虽然陈非完全弄不明白他那个半死不活的垃圾专业究竟和物理学有什么鸟关系，但他仍然被迫一学期接一学期地和大学物理奋战，然后一学期接一学期地被大学物理战翻在地，以至于教务处的老师看到他在开学时走进办公室就叫了起来："哟，又来给大物送钱啦？"

"大物上辈子多半是死在我手里的。"陈非没精打采地回应。

到了最后一学期，陈非实在没什么办法了，成天抱着头对自己说："再想想办法吧，想想办法……"然后突然灵光一现，胡二的形象浮现在脑海中。接着他开始研究各种细节，这当中最重要的就是如何炮制一个印着陈非的名字却贴着胡二照片的考试证。他天才地想起学校的冲印社肯定可以压膜，解决了这一技术性难题，最终使自己成功毕业。不然的话，现在的陈非很可能已经被迫灰溜溜地回到老家，让父母想办法找一个薪水微薄的工作，成天忍受他们的唠叨和训斥。

现在他又有了那种河水淹过嘴唇的感觉，但这次的问题已经不是几个简单的小技巧能解决的，除非他去抢银行，或者突然开了天眼，预测出下一次彩票的中奖号码。说到彩票，家乡的父母每个月都要从数目不多的薪水（后来是退休金）里支出几十块钱去买彩票，到现在也就中过几次尾奖，却仍然乐此不疲。

在陈非看来，等待摇奖时的那种心脏停跳的感觉，大概就是所谓生活的希望。他的父母一辈子算算计计抠抠巴巴地过日子，在陈非的印象里就从来没有出门旅行过哪怕是一趟。他们在陈非初中毕业时就极力鼓动陈非去考中专或者职高，幸好被初中班主任硬生生拦了下来。等到陈非大学毕业，老两口开始大谈他们的养育之恩，每月接受陈非的补贴，想要陈非掏钱给他们装修房子，想要陈非掏钱给他们买车。这样的生活不仅陈非不喜欢，他们自己过得恐怕也很不愉快，买彩票无非是每月给自己一个坚持到下个月的动力。

陈非也想给自己找出点动力，这话说来很可笑，人活着本来是天经地义的事情，却为什么非要找出点动力来才能继续活下去。他骤然觉得自己的胸膛里跳动的是一颗干瘪起皱的老人的心，跳得他浑浑噩噩不知其味。

周一再去上班时，陈非显得心事重重，而他也的确是表里如一的心事重重，以至于在电梯里碰见公司副总竟然忘了打招呼，副总的脸色像霜打过的茄子，显然已经开始盘算秋后算账。

陈非没有在意，坐到电脑前发了很久的呆，同事武宁走到他面前，"我马上要出去，这份资料处长急着要，你帮忙复印一份吧。"

武宁手里拿着一叠资料，但陈非正在神游，完全没有听到她说些什么，更加没有做出任何反应。武宁又说了一遍，陈非还是没听到。

一声巨响，武宁把整叠资料都砸在了陈非的办公桌上，差点连水杯一起震倒。陈非吓了一跳，回过头来，武宁的35C正在眼前激烈地晃荡着。

"拽什么拽，不就航院出来的本科生么，看你牛成那样，眼睛都长天花板上去了！"武宁大声说。办公室本来不大，她这一声喝如动地惊雷，所有人的目光都转了过来。

"我怎么了？"陈非兀自懵懵懂懂，不明白自己怎么惹得这35C龙颜大怒。

"你没怎么，是我怎么了！"武宁得到旁人注视，仿佛受了鼓励，声调愈发高亢，"你可了不得，正牌大学生，智商比别人都高，我们这些小虾米求你做点小事都求不到了！……"

武宁滔滔不绝，一路说将下去，陈非听了老半天才明白是怎么回事。他一声不吭，抓起那叠资料去了复印室。武宁大概也反应过来自己还得出去办事，余怒未消地哼了几声，终于还是走向了电梯。直到这时候，在一旁看得津津有味的办公室主任才开了腔："行了行了，都别在一边看热闹起哄了，各干各的事情去！办公室有办公室的纪律，不许在上班时间看热闹！当然上班时间制造热闹就更不对了！"

陈非站在复印室里，复印机哗哗哗地响，听不到办公室主任聒噪。他没想到武宁会为了一件微不足道的小事突然像爆米花一样炸开，但仔细想想，好像又并不太怎么意外。武宁比陈非大五岁，已经年过三十，只有成人自考文凭，做起业务来头脑也不大灵光，基本就是一处的杂务大管家，负责做各种琐碎的杂事，或者在关键场合出任一下花瓶。而陈非初来的第一年也基本只能做杂务，很多事要跟在武宁屁股后面转。

其实刚进办公室的时候，武宁完全一副大姐的做派，对陈非照顾有加，很多弄不明白的事情都是武宁教会他的。但自从第二年陈非开始做业务之后，武宁的态度明显冷淡，时不时讥讽两句，陈非始终不懂自己究竟怎样得罪了这位波涛汹涌的大姐。现在冷静下来想想，终于找到了一点端倪：武

86

宁是在嫉妒他。

在陈非到来之前，武宁一直包干各种杂活，但世上不会有人始终甘愿打杂的。武宁心里一定也在盼望着有朝一日可以上马做业务，但陈非来了不到一年之后，就已经可以做业务了，而武宁仍然没有机会，她心里难免会有怨怼，觉得陈非抢走了她的位置。陈非自进入公司以来始终谨言慎行，无论办公室里副总、一处处长、二处处长、办公室主任等人的派系斗争多么厉害，他都始终坚持洁身自好，哪边都不卷入，哪边都不得罪。

但是最终还是身不由己地得罪了人，陈非盯着复印机上移动的光亮发呆，不知怎么的又开始羡慕起杜愚来。虽然他已经知道了杜愚现在究竟干的是怎么样的"自由"撰稿人，但一想到那种抬头接活埋头干活不必顾及其他的生活，还是难免以城外人看城里人的心态想道：自由真好。真的是好。

在自由的生活中七窍生烟

陈非羡慕杜愚的自由时，杜愚正陷在自己自由的生活中七窍生烟。这又是一种围城，人们总是看着墙外的东西干流哈喇子，没有发现墙外的人也正看着墙内眼红。

杜愚在天通苑已经住了有些时日。改写世界名著的活儿干完了，拿到了几千块钱，可以让他暂时不至于看到涮肉坊都两眼发直。但这几千块钱也得省着花，因为在自由的生活里，谁也不知道下一笔钱会什么时候从天上掉下来。

前几天他的一篇豆腐块文章终于拿到了稿费，汇款单上明白无误地印着"二十元"的字样。杜愚为了这二十块钱仍然单独跑了一趟邮局，连邮局的大妈看他的眼神里都有一种高深莫测的笑意。显然她不大可能是因为杜愚英俊潇洒充满魅力而对他笑，那么这种笑多半处于讥嘲。

杜愚倒是无所谓，在北京这个地方，被人讥嘲几乎是一种常态。如果把杜愚的生活用数学公式来简述之，其中一定包含着"被嘲笑"这个常数。比如他帮人改写烂得实在不能看的韩式言情，写了个样章就被打回来，理由是他完全不懂得这个时代的年轻人究竟是怎么生活的，写出的东西像五十年代的革命青年开舞会。比如他写垃圾玄幻小说，写完后让书商十分挠头，还得找人重新润色（稿费当然从杜愚的所得中扣除），因为写完一本书男主角才睡了三个女人，这样的男人在玄幻小说里简直和太监没什么区别，而且不具备大学中文系水准以上的读者压根看不明白男女主角到底干了些什么，很大可能会以为两人正襟危坐了一夜背诵《毛主席语录》。

类似的事情还有很多例子可以举，但杜愚始终咬紧了牙关坚持着。虽然经常吃方便面的时候连一根火腿肠都加不起，他还是会每周往家里打一次电话。杜愚在电话里总是谈笑风生，告诉父母他很好，一切都很好，现在他写书能赚不少钱，只不过因为自己租了个单间住，开销也稍微大点，但过段时间肯定就能有积蓄了。父亲城府深，只是淡淡地表示他知道了，母亲却沉不住气，每每在电话里就开始哽咽，赞美上天有知，让吾儿终于有所出息，光宗耀祖。杜愚每次打完电话晚上都睡不着觉。

七岁的某一天，杜愚跑到父亲的办公室，发现父亲正在被上级训斥。那时候父亲是一个小科员，训他的人不过是个科长，但摆出的气势就像里根。

里根坐在椅子上，跷着二郎腿，指缝间架着一根烟，面前摆着一个茶杯。父亲站着，虽然身材高大，却刻意地弯着腰，还不住在点头。里根说一句，杜愚的父亲点一次头，里根端起茶杯，发现里面没了水，父亲立即拿起水瓶替他倒水。里根点点头，等父亲把水瓶放回去，继续开训。

七岁的杜愚当时并不明白科长究竟为了什么训父亲，给他留下不可磨灭印象的是父亲面对着一个小小的科长所表现出的绝对的驯服。而那几乎是杜愚的父母一生的写照。他们唯唯诺诺，谨小慎微，南半球一片树叶坠地都可以让他们心惊胆战。

后来杜愚也差不多走过同样的道路，从小到大他没有打过一架，无论谁把手指头戳到他脸上，他都会默默地承受，然后等着对方收回手指，脸上的肌肉重新弹起。陈非虽然也总挨打，那是因为他从小体弱，但无论面对什么样的对手，至少他敢于出手，至于事后会去哪家医院缝几针再议。而杜愚并不瘦弱，却绝不敢亮出拳头。他甚至连吵架都没和人吵过，每每有人骂他就干瞪眼不知所措，像是被人类网进网兜里的癞蛤蟆。

杜愚在天通苑住得并不开心，这种不开心由很多因素构成，但最直接的、最能摆在明面上的一点是，群租的生活太伤脑筋。这点倒是不必奇怪，不伤脑筋的群租生活只怕还没有在地球上出现过。所谓"群"，是一种很可怕的概念，将空间分割得支离破碎，让人们的生活强迫交错。

在杜愚租的房子里，不同的人有截然不同的生活习惯，合在一起就是房客毛病百科全书。隔壁屋的一对东北小夫妻拿吵架当乐子，天天晚上演二人转，演到兴起还要动用凶器，杜愚经常看到他们早上从屋里扫出许多疑似碗碟碎片的东西。和他同屋的一个山西人，其脚也秉承了山西老陈醋的优良传统，老而弥厚、回味悠长，有所谓余味绕梁，三日未绝之说。另一间屋里的一个四川姑娘有洁癖，每天至少洗两个澡，占用卫生间不说，水费也猛往上涨。其他有爱吃韭菜吃完了老放屁的，爱玩网游每天玩命砸键盘的，每天深夜煲电话粥对着听筒唱周杰伦的，当真是环肥燕瘦，各有各的妙处。

杜愚睡觉向来不踏实，估计有点轻度的神经衰弱，每天夜里室友们的折腾让他辗转反侧难以入眠。所以他索性调整了生物钟，晚上工作白天休息。这样做的好处在于白天屋里的人除了他基本都出去上班了，他可以安安静静无人打扰地睡觉；坏处在于昼夜颠倒的生活严重影响内分泌，他渐渐变得眼窝深陷、心烦易怒，脸上像雨打沙台一样生出深深浅浅的疙瘩。

差不多就在陈非的包装机械展开幕的时候，杜愚找到了一个新的活计，为某位著名的儿童文学家做枪手，撰写少儿版的知名科学家传记，例如开水煮手表放风筝捕捉雷电之类的蠢事。该儿童文学家著作等身，向来为杜愚所佩服，等到接下这个活，他才明白著作等身的背后都是枪手们的血汗，所以也就不再佩服了。

该儿童文学家虽然自己不动手，对文章却有相当的要求，最基本的一点就是必须完全仿照他的文风，差半毫米都不行。为了证明自己不差这半毫米，杜愚首先要攒出几个像样的样章来，在此之前他不得不先找来儿童文学家的大作拜读。

读着读着他的眉头就皱了起来，这位儿童文学家名气不小，水平却明显不高，写出的东西颇有几分小升初毕业考试作文的风采，和他童年时代读过的林格伦、罗大里、普鲁士勒等人的差距之巨大，几乎就是潘长江和姚明站在一起。但这位作家很畅销，而杜愚写的东西怎么都卖不出去，只能靠做枪手维生，这就是差距。在这种差距的制约下，杜愚之流只能在心里腹诽一下儿童文学家的欺世盗名，然后绞尽脑汁为了他的欺世盗名添砖加瓦。在杜愚看来，一本好书能让人如饮醇酒，一本坏书只能让人便秘，儿童文学家以醇酒之名行便秘之实，着实可恶。

杜愚在大学时很希望自己日后能成为一个作家，为此他每个月都兢兢业业在文学社的油印小报上发表自己的东西，可惜从来没有收到热心读者来信，倒是文学社的小报从来都是布告栏上最快被各种广告所覆盖的。所以可能存在着一些有潜力给杜愚写信的热心读者，但由于广告覆盖速度每次都很快，这个猜测也无法证实。现在他如果替儿童文学家干活儿，到时一定会有很多来信，但那些来信不会有一封是寄给他的。

杜愚花了几天工夫，慢慢总结出一些这位儿童文学家的写作规律。例如他笔下的小姑娘，全都有着银铃般的笑声，估计儿童文学家可能是在合唱团长大的；他笔下的英雄人物，出场时都有着冷硬的脸，到最后一定会转化成满脸笑意，所以他又有可能是在相声世家长大的；他最喜欢用的两个词是"果不其然"和"恍然大悟"，一篇两万字的小说能用出三十四个"果不其然"和四十八个"恍然大悟"，说明他的人生是在一连串的一惊一乍中前行的。

总结出了这些规律，要模仿儿童文学家的文笔就绝非难事了。杜愚很快炮制出三篇，左看右看上看下看都和儿童文学家的亲笔一模一样，他忍不住在心里赞叹了一句：我他妈的真是个天才。

天才把样章用电子邮件发给了儿童文学家的工作室助理，一时没什么事可做，决定玩两局游戏。他的笔记本电脑是大学时省吃俭用买的别人淘汰的二手机，最大程度也就能跑跑星际争霸，所以他也只能玩星际。杜愚不擅长任何游戏，大学时无论和别人联星际还是联CS，基本都被虐得找不着北，所以大多数时候他只能和电脑对战，还经常被电脑干掉。

杜愚玩星际只会用神族，对战电脑只有一个招数，那就是堵口憋航母，因为电脑智商偏低，往往对航母的攻击毫无办法。在顶过了电脑的几波骚扰之后，他的航母数量达到了七艘，已经可以出去溜达一圈了。但刚刚编好队，还没有出发，电脑屏幕忽然一花，那些金灿灿的航母和遍地的水晶、机场、兵营、龙骑士、地堡一道消失不见，化为了一条条在屏幕上上下晃动的黑白线条。

坏了，电脑出故障了，杜愚心里一沉，这意味着又要去送修了。这台电脑老早就过了保质期，修一次都得花上不少钱。他上一次不小心把一杯水泼到了键盘上，导致键盘失灵，不得已拿去送修，对方张口就报价五百大洋，差点吓破他的狗胆。好在键盘坏了总有办法解决，他到中关村二十块钱买了个便宜键盘，外接在手提上使用，一直用到现在也没有舍得花五百块钱去修一次键盘。

但显示器不能不修，杜愚不是神仙，不能面对线条乱窜的电脑打字。他把电脑重启了七八遍，终于确定重启大法也不能拯救失灵的显示器，只能骂了几句娘，叹了几声气，把电脑塞进那个破旧的电脑包，出门走向车站。总算运气不错，天通苑附近就有一家该品牌电脑的维修点，只需要坐两站路，不然这么破旧的手提再屡次颠簸到中关村，只怕死得更快。

走进维修点大门，接待处的小姑娘热情地招呼："哟，又来啦！"

"是啊，又来了。"杜愚没精打采地接过接待员递给他的号码，把手提放到前台。这家维修点生意清淡，一天中大多数时候可以打麻将，但仍然固执地把自动放号机摆在门厅里充数，属于典型的脱了裤子放屁。一般而言，顾客如果直接走向前台，会比拿号节约更多时间。

"那我先回去等了，"杜愚描述完症状后，对工程师说，"如果修理需要什么费用，麻烦先通知我。这机子太旧了，修理太贵的话，不如换台新的。"

杜愚每次必说这句台词，其实不过是希望对方能尽量把价格压低一点，真出了什么状况，他也只能咬紧牙关去修，不然买台新的最低也得两千多块钱，那对他来说是笔巨款。陈非经常调侃某著名低价品牌笔记本："××牌笔记本就是好，一台的钱可以买两台，一个用，一个修，保证任何时候都有手提用。"

即便是××牌笔记本，杜愚也舍不得掏钱买，他觉得自己的脸上写满了"悲哀"两个字。来到公交车站站了几分钟，他忽然想起：现在已经没有干活的家伙了，那么着急回去干嘛呢？于是他索性离开车站，步行走回去。

两站路并不算太远，假如放在北京的背景之下，甚至可以说，两站路完全不是距离。但杜愚走完这两站路后仍然出了不少汗，这让他意识到自己的身体在变虚弱。很显然，长期不运动的人身体都会变得不怎么好，如果不运动还饱食终日，就会变成陈非，如果连饭都吃不饱，那就是杜愚了。

杜愚一边走，一边听着一辆辆汽车从自己身边掠过，掀起的灰尘不断钻进口鼻，这让他有点怀念起家乡的那座小城。在那里没有那么多的汽车，坐上出租车二十分钟就可以绕遍整座城。他还记得自己童年时代和玩伴们在大街小巷里狂奔，无论跑到哪里，都不必担心迷路，因为城市就只有那么大，每一处角落都已经牢牢记在心里。至于北京，即便是娴熟的出租司机也时常有不认识路的状况，人们生活在这座大迷宫里，穷其一生，也不可能窥探到它的全貌。但也许正是因为这种魅力，人们才趋之若鹜，一定要到北京来挤群租房、蹲地下室，一定要到北京来在公车上肉搏，一定要到北京来站在天桥上，望着身下的滚滚车流发呆。

那是杜愚经常做的一件事情。天通苑某个地铁站附近有座天桥，上面摆满了地摊，杜愚就经常在地摊的缝隙里找到一个立足之地，从天桥上往下看，无聊地数着过往的车辆，五辆、十辆、五十辆、一百辆……他不敢找那种空旷清冷的天桥，因为他很担心，那种可怕的寂寞与孤独会产生一种推力，推着他纵身跳下去。

这是他经常做的一个梦。梦见自己站在一座高高的大厦顶端，身下是灯火辉煌的北京城。那些璀璨的夜灯连成一片地闪亮着，让他什么都看不清楚，但却有着一种无法言说的吸引力，就像是一块巨大的磁石，召唤着他靠近。在这些梦的结尾处，杜愚总是无法抗拒那种巨大的诱惑，无一例外地跳向那些灯光，然后突如其来的失重感让他醒来，发现自己正躺在拥挤的出租房里，下铺的哥们正在磨牙，隔壁传来连墙壁都阻挡不住的响亮鼾声，汗味和脚臭味弥漫着整个房间。那种巨大的落差每每让杜愚怅然若失。

　　晚上杜愚无所事事。每一次把手提电脑拿去送修之后，他都会经历这样空虚无聊的夜晚。他觉得电脑是这个世界上最伟大的发明之一，一次性的投资之后，就能够解决好几年的娱乐需求，实在是穷人最好的陪伴。杜愚写小说，经常虚构一些娱乐场景，酒吧、迪吧、练歌房、保龄球馆乃至于档次更高的高尔夫球场、高档会所之类，笔下的红男绿女们分不同的消费层次恣意享受着生活，但这些地方他实际上一次都没有光顾过。除了航院内及附近那些人均消费不会超过四十块钱的小饭馆，杜愚的夜生活基本就是自习教室里度过的，等到了毕业之后，就只能在床上陪着电脑度过了。他有一张专门用来支在床上的小方桌，从航院一直带到天通苑，是他手里唯一有的一样家具。到了晚上，支起小方桌，打开电脑上上网玩两局星际，下几个电影来看，一个个孤独的夜晚就这么被消磨掉。

而每到电脑送去修理的时候，杜愚就会有点不知所措。倘若是在读书的时候还可以去上自习，现在没有自习可上了，他不知道该干点什么。要说看电视吧，基本没有他喜欢看的电视节目，何况这个群租房里的电视频道每天晚上都被争来抢去，很难看到超过十分钟的囫囵玩意儿。要说看书吧，杜愚手里就没几本书，因为买书太贵，看不要钱的电子书比较划算。要说聊天吧，杜愚在这里住了几个月，竟然还有一两个室友连名字都叫不出来，当年在航院能和他说话的人原本也寥寥无几。

　　最后他并没有直接回去，而是在附近无目的地闲逛。后来天黑了，他站到了天桥上。身边是吵嚷不停的叫卖声和划价声，这些声音让他意识到自己还在人间，不会被下方的滚滚车流所诱惑。

　　杜愚在无所事事中过了两天，几次想要去网吧，又舍不得每小时两块钱。幸好两天后电脑修好了，杜愚又找回了精神家园。实际上在送修的第二天，维修站的客服小姐就打来了电话，告诉杜愚电脑的排线坏了，换一根需要二百五。这是一个绝妙的价格。

　　虽然这是一个很漂亮的价格，但仍然是令杜愚难以承受的。所以他在电话里磨了很久，把价格说到一百五，没法再下去了。

　　无论怎么样，没有电脑的自由撰稿人好比没了嘴的宋祖德，杜愚在痛苦中煎熬了半个小时，还是不得已掏出一百五十块大洋换了根排线，这比从他身上割块肉还痛。肉痛之后，杜愚拿回了又能恢复工作状态的电脑，憧憬着下一笔活能赚到足够的钱，让这台古董级电脑有寿终正寝的机会。这样的憧憬他已经做过很多次了，可惜每次拿到的钱都比预计得少。

妈的，下一本书老子要让男主角睡十个女人，看他怎么扣我钱！杜愚咬牙切齿地想。

比去动物园看狗熊还没意思

据说是由于全球变暖，北京已经好几年不见雪了，即便偶尔下雪也是疏疏落落那么几片，落在地上不久就化了，这让陈非无端端生起一些感慨，因为他简直算是看着北京城逐渐变暖的。

陈非生在南方，从来没有见到过能在地上堆积起来的雪。有时候冬天一觉醒来，发现树枝上白了一层，就足以让他欢喜得嗷嗷直叫。到北京的第一年，他从开始供暖之前就缠着本地同学询问什么时候会下雪，搞得人家不胜其烦。

雪下下来之后，陈非高兴了半天，下午骑车就把肘子摔伤了。学校里的人实在太多，只需要小半天就把地上的积雪踩得无比瓷实，成为肮脏的黑冰，人走在上面好似在溜冰。有经验的人一般不会在这时候骑车，但陈非没有经验，在滑溜溜的冰上刹不住车，狠狠摔了个人车分离。他捂着肘子慢慢爬起来，扶起叮当作响的自行车，慢慢发现下雪天也没那么美好了。

这一年冬天他还得了一场重感冒，烧到差不多四十度，不得已只好去航院"兽医站"求助。"兽医站"的"兽医们"

精挑细选各种便宜无疗效的药品打发掉他，结果这一病缠绵了快一个月，那种踩着冰雪晕着脑子颤巍巍踱向"兽医站"的感觉太可怕了。从此陈非开始仇恨下雪。

这个故事教育了我们，有些事物看起来很美好，是因为你没有得到它，得到之后很可能这种美好就荡然无存了。但人们总是无限期盼那些没有得到的事物，这是人之常情。陈非很想用这个浅显的道理去劝杜愚放弃北京，但最后还是没有说出口。一方面他觉得杜愚已经陷入不可理喻的状态，说了也白说；一方面他在害怕，怕这些道理没说通杜愚倒把自己吓跑了。如此作茧自缚，绝非聪明人所为，所以陈非很理性地取消了这个计划。

生活依旧继续，但多了一些改变，比方说，陈非越来越爱玩网游了。不只是下班之后，上班时他也玩，鉴于该网游十分贴心地设计了"老板键"，当上司靠近的时候，只需要按下快捷键，网游就会隐藏起来。于是陈非上班的时候也可以杀人了。他藏身于各个地图的各处角落，只要看到敌人立即猛扑而出，把华丽的杀人组合技全放出来，多数人都在猝不及防中被他秒杀了。而有些人装备实在太好，三板斧砍不死，他就会立即回城，不给对手反击的机会。

"这样有什么意思？"苏小麦十分鄙夷，"打不过就跑，真没出息。"

"毛主席就是这么把中国打下来的！"陈非正色教育苏小麦，"像你那样每天躺倒几百次，也好意思出门杀人？"

如前所述，陈非把他的智商都用到了游戏中杀人上——尤其是杀人民币玩家，这源于他对有钱玩游戏的人的刻骨仇恨。陈非五岁时，电子游戏室开始在家乡的大街小巷——主要是小巷——盛行开来，三毛钱可以买一个币，五毛钱俩。从价格来说不算贵，但当时陈非的零用钱每天只有一毛钱，这还是他向父亲多次抗议后的结果。也就是说，积攒三天的零用钱，陈非可以买一个币，然后在几分钟内稀里糊涂死掉，再等下一个三天。而三天也成了陈非最重要的时间单位，旁人计算时间用年月周日，陈非计算时间用三天。

后来陈非总觉得他的童年时光就是在那样三天复三天的等待中消耗殆尽的。他买不起玩具，从来不吃零食，大夏天看着别人手里的冰棍流口水，算计着再等一天又能多买一个币。他放学后就流连于电子游戏室，由于没钱，只能站在一旁观看，后来海湾战争爆发，熟识的游戏机房老板亲切地称他为多国部队军事观察团团长。

"团长，又来了！"老板每次都这样招呼。

"今天有钱，来一个币！"陈非挺起胸膛。

后来陈非年纪渐渐大了，可支配的零用钱也越来越多，尤其是小学毕业那年的暑假，父亲从来没有那么慷慨，把当年的压岁钱全部扔给陈非让他去花。陈非捏着钱，昂首阔步地走进游戏室，忽然觉得很茫然。他发现电子游戏室带给自己最大的乐趣其实就是那三天一次的等待，其实就是攒足三毛钱后无比兴奋的那一瞬间，当把游戏币投入投币口之后，这种兴奋立刻就冷淡了，化为一种略带怅然的空虚。

这一个夏天结束之后，陈非再也没有进过电子游戏室。他觉得这个故事也可以用来教育杜愚，但基于同样的理由，他放弃了这个想法。在规劝别人的时候把自己也放置在被规劝的位置上，这真是一种莫大的悲哀。

秋天行将结束时，陈非抛掉杜愚，继续埋头于自己的破事。欧洲高尔夫比他想象中要艰难得多，生产高尔夫的企业虽然成把成把的，但大家似乎商量好了，统一口径就是俩字儿：不去。一星期后，陈非一无所获，但他看着长长的名单，提醒自己千万不能泄气。这种将泄未泄的感觉他经历过很多次，那是大学每学期补考大学物理的时候。每一次他把课本从头翻到尾之后，都会有一种想要把书撕成碎片吞进肚子里的绝望，但很快他又对自己说，不行，还不能认输，大不了再挂一次，时间还长着呢。但事实上，时间并不是还长着呢，而是每过一学期就缩短一截，到最后那种绝望无限放大，就像沙尘暴一样笼罩了整个天空，足以令人了无生趣。

陈非希望自己不要一直熬到那种沙尘暴的季节，因为到了那个时候不只有沙尘暴，还有龙卷风，那就是太后的愤怒。用网游来打比方，太后就是最难副本里的终极 boss，挑不过她，干其他事都是白搭。

于是陈非和苏小麦都开始开源节流。众所周知，开源节流这种事，说起来很好听，往往到了最后只剩下节流，却看不到开源的影子。陈非不是杜愚，没有舞文弄墨那两把刷子，要说找兼职，又发现自己什么技术都不会，只会打电话磨嘴皮子骗人。

"你可以周末做做家教，我帮你介绍。"胡二说。

"免了吧，我远离课本那么多年了，哪儿还捡得起来？"陈非把头乱摇，"上街发传单也比这个靠谱。"

而苏小麦的公司一向以周末加班加了白加而著称，她倒是很想做一些页面设计之类的兼职，可惜没时间。到最后两人开源不成，只好节流了。苏小麦清点了自己历年积攒的各种亮晃晃的小饰物，声称在哈雷彗星再次归来之前她都不用买此类物件了，虽然在此之前她要是每周不买上两件就会比求偶期的狼还烦躁。同时她宣称自己的衣服也够多了，再买下去只怕就要在衣柜里等虫蛀了，这同样是实话，尽管她买的衣服几乎没有超过一百块一件的。

陈非不好烟不好酒，也没有泡吧K歌的习惯，说到节流有点茫然。

"我的钱都花到哪儿去了？"他问苏小麦。

"你不抽烟，不喝酒，不怎么买衣服，对电子产品的要求是'够用就行'，而且最鄙视苹果爱好者。你不爱看书，偶尔看看书也是从网上找电子版，每年花在书上的钱基本为零……"苏小麦对他很了解，一列举就是一大堆，差点让他飘飘然以为自己真是个从不花钱的极品葛朗台了。好在苏小麦还有后话。

"你喜欢吃，只要吃起东西来就不顾及价钱，别看懒起来的时候顿顿方便面，下一顿馆子就能顶一箱方便面。"苏小麦说。

这话没错，陈非天生是个吃货，而且口味方面包容度极高，各地风味均能入口，找到一家好吃的馆子就不会嫌贵。这是他生来的爱好。陈非来自于某座以饮食闻名的城市，从小就被培训出了五香嘴。

"你还喜欢聚会，每次聚会都得花不少钱，而且你从来都是打车去打车回。"苏小麦接着说。

这一条又说准了，陈非的花销，很大部分都扔在了各种各样的聚会里。大学同学会、中学同学会、网友聚会、公司同事聚餐，每每有这种聚会陈非都不错过，而且他总是选择打车。在他的潜意识里，大概是觉得平时上班挤车挤得太苦闷，好容易有了聚会放松的场合，就不想再让好心情被如狼似虎的大妈们挤掉了。他过去从来没在意这些，现在被苏小麦一说，才发现自己原来也是个挺能花钱的货色。

"看来这些都得改掉。"陈非长叹一声，决定从推掉本周末的网友聚会开始。

北京城一天天冷了起来，暖气管道开始不断响起水声，说明供暖部门已经开始试水，准备供暖气了。往年的这个时候，陈非早就叫上胡二之流的狐朋狗友开始羊蝎子和涮羊肉的作战计划了，但现在，陈非的头上时刻闪现着一个字，那就是忍。

他渐渐觉得日子开始乏味。这不仅仅是因为嘴里快要淡出鸟来了。他觉得自己正处在一生中的黄金年华，年轻、健康、富于活力，本应该更好地享受生活，到头来却为了一只烤鸡价值十五元到底应不应该买来吃而纠结不休。这不是他想要的生活。

但什么样的生活才是他想要的呢？这么一想，陈非陷入了茫然中。假如可以不去计较一只烤鸡的价钱，每天敞开肚皮吃，那就算数了么？或者再往上，有了间小房子，弄一辆破车每天在三环路上堵着，节假日到各种恶俗的旅游景点装装小清新，那就能算数了么？或者再往上，打电话张口就是"一千万以下的合同别来麻烦我"，那就能算数了么？

"咸吃萝卜淡操心，"苏小麦大摇其头，"别成天想些有的没的，把自己整得跟忧郁文学青年似的。老老实实地活着吧。"

苏小麦一句话把陈非的生活降到了最低标准。他定定神，正想着是不是要反驳两句，又觉得在嘴上讨论这种事情毫无意义，苏小麦忽然转移了话题，"对啦，这个月末是不是有一个空间技术展？"

"是有一个，不过不是我们公司的。"陈非回答说。

"但你认识他们公司的人，对不对？"苏小麦问。

"没错，不但认识，还挺熟的。"陈非说。那是一家大展览公司，虽然也是国企背景，但一向经营有方，在业内活得比陈非的公司滋润多了。陈非的公司和他们常有联系，通过对方帮忙弄到点批件什么的，然后打着合作主办的名义去捡一些对方不愿意啃的鸡肋展会。而这一家公司自己主办的展会都很牛，比如苏小麦问起的这个空间技术展，基本算是国内类似展会的头牌。

"能不能带我混进去？"苏小麦看上去一脸神采，让陈非以为太阳从西边出来了。如果说苏小麦想去看动漫展、服装展、花卉展乃至于行为艺术展陈非都会相信，但她就算吃饱了撑的，按理说也不可能对空间技术展这种玩意儿感兴趣。

"你莫不是在消遣洒家？"陈非一瞪眼。

苏小麦回瞪过去，"废话，不是说闭幕式那天飞人要去嘛？报纸上都做了广告了。"

陈非醍醐灌顶，原来如此。那家公司背景硬后台硬——陈非他们的黄司长就是通过该公司介绍的——利用在航天部的关系，不单单是搞到了回收舱、降落伞、宇航服和太空食品等死物放在展馆里供瞻仰，最重要的是请到了我国著名的航天英雄莅临展会。这可不得了，飞人一上天，崇拜者单位以亿计，他老人家到展会现场亮个相，保准轰动效应。现在看来，苏小麦也是他老人家的忠实拥趸。

"原来你是想去看飞人啊，"陈非哑然，"那好办，到时候保准你能进去。"

苏小麦一脸的崇拜，"飞人耶！能不能想办法让我和飞人合个影？"

"只要你别试着去强吻就好，"陈非一本正经地说，"不然没准儿会以'妨害国家安全罪'被抓起来的。"

苏小麦特地提前请好假，看飞人的那一天早早起了床。天公不作美，前一天夜里下了点小雪，早上起来地面白晃晃一片，不久之后则将变成黑色的泥泞。苏小麦兴致不减，两人出门奢侈地坐上久违的出租车，哆哆嗦嗦到了展馆。还没下车两人就吓了一跳，展馆外已经黑压压聚集了几百号人，都是等着来看飞人的。而且鉴于这一天不是周末，来的大多是老头老太太，在寒风中颤巍巍地跺脚哈气。

苏小麦揣着高人一等的心态随陈非来到门口，两人各带上一张工作证，大摇大摆进了展馆。苏小麦甚至不愿意稍微伪装一下自己的喜好，拉过一把工作人员的椅子就一屁股坐下去，一副"除了飞人姑奶奶什么都没兴趣"的架势。陈非拿她没办法，自己在展馆里转了一圈，才发现原来自己也对此毫无兴趣，可见自己在航院混迹的四年最终混迹到了狗身上。

溜达一圈回来，看看表开馆时间已经到了，但大门依然紧锁，倒是门外聚集的人越来越多，不明白的难免要以为这里在卖打折的花生油。陈非问他的熟人："不是到时间了吗？怎么还不开馆呢？"

熟人摇摇头，"今天早上杨办——主管飞人相应事宜的办公室——的人特地打了招呼，现场不许有普通观众，而且有三不准：一曰不许拍照，二曰不许签名，三曰不许握手。"

陈非有些茫然，指指展馆里，"可是已经溜进来那么多记者了，不许拍照只怕不大可能了。"

"那没办法，"熟人一摊手，"但愿飞人记得戴墨镜。那么多闪光灯……"

陈非百无聊赖地等着，飞人还没来，展馆也不能开，各个摊位的工作人员也只能凑在一起吹牛聊天。苏小麦反而不慌不忙，据她说，凡是明星没有不迟到的，习惯了就好，而且明星的派头和迟到时间成正比。类似飞人这样的大人物，要不迟到个半天一天的，回去都不好意思和人打招呼。

一个小时过去了，飞人依然没有来。若干记者轮番跑过来打听："咱飞人还来不来啊？"

熟人打着官腔："甭着急。看看外面的，他们比你们急多了。"

陈非隔着玻璃门往外一看，可不得了，门外已经摞了无数被挡着不能进的持票群众，一个个都在拼命跺脚，不知道是冷的还是气的。有一个什么研究院组织了五十多个离退休老干部过来，不能进，在外面窝火连天，但显然老干部虽然平时很牛气，在飞人面前就什么都不算了。还有中学组织了一个年级几百号孩子过来，还是不能进。都只能外面吹风。陈非不禁生起一种担忧：等飞人真的大驾光临的时候，那还了得……

这已经是北京城开始迎接寒冷的季节，人们嘴里呼出的白气清晰可见，上千人的白气一起呼出来时，就有点壮观的味道了。陈非对一切歌星、影星、球星或是草根明星都没有太大兴趣，他连看球都只看电视直播的，而绝不肯花钱买张票坐到体育场里去看真人。这大概是他生平第一次近距离观看到什么叫作追星。现在看来，追星就是一大群人挤成肉馅围观一两个人的运动。要说它能给人带来什么意义，难讲得很，因为亲眼看到飞人并不能让你多长二两肉或者减肥两公斤，相反为了在一个北京冬日的清晨看飞人，你可能付出感冒的代价。但人们趋之若鹜，乐此不疲，显然很难用简单的熵增去判断。

最后飞人还是来了，当然来的时候谁也猜不到飞人就在里面，只看到两辆外貌普通的军牌车开进广场，在展馆的台阶处停下来。飞人就从车里突然出现，在几个保镖的陪同下迅速闪进门——然后门再次关闭了。如梦初醒的人群发现错过了围堵飞人的最佳时机，想要再追已经晚了。飞人顺利溜进了展馆。

苏小麦一跃而起，兴奋地想要冲到飞人跟前，但又立马被挤开。身经百战的记者们迅速形成包围圈，把飞人团团围住，几个保镖徒劳高呼"不许拍照"，仍然架不住闪光灯闪作一片。陈非看得分明，飞人没有戴墨镜，不禁对他增添了几分同情。

陈非又想，飞人也和其他人没啥区别，两个眼睛两个鼻孔，和电视上看到的一模一样。像这样凑到极近的距离观看，并不能把飞人看出三只眼睛或者三个鼻孔来，但人们还是要凑近了去看，其中的道理难以解释清楚。

闪光灯闪够了，早已安排好的美女解说员才终于分开人群站到飞人身边，领着他一一参观各摊位的展示。苏小麦像一条败犬夹拉着尾巴跟在人群末端，显然已经放弃了接近飞人的打算，却还在努力试图从人缝中看清飞人并不高大的身躯。

她跟着人群在展馆里兜了个遍，最后一同来到了贵宾室。

早已等候在那里的几位鬼知道干什么吃的领导理理领带，矜持地站起来，和飞人合影。飞人手里抱着一捆鲜花，脸上带着几乎凝固不变的笑容，陪同领导照完相，在签名簿上留下墨宝。事后熟人告诉陈非，飞人的名字被安排签在了签名簿的第一页，赫然比某位前任政协副主席还靠前。

陈非难免要回想起小时候的经历。陈非读小学时还不像现在这样遍体脂肪过剩，而是生得唇红齿白人见人爱，每次要迎接什么莅临学校的贵宾都被安排在前面献花戴红领巾什么的。这种活儿让人很不耐烦，也绝对没有站在电子游戏室里做团长来得带劲，但他无从抗拒，只能每次背诵上一大堆欢迎词，挤出满脸激动的笑容，来一个人就高喊一声"亲爱的×爷爷"，而心里想的是：老头儿，老而不死是为贼！

这种经历和眼前的飞人似乎有点类似，虽然飞人是被人围观，陈非是围观他人，但这其中所包含的同样的不自由仍然令他有点唏嘘。

最后飞人终于干完了该干的事，要出去了。陈非心里一动，用力挤到他身边说："您在门口的时候，能对外面的孩子们挥挥手打个招呼么？"飞人很认真地说："当然可以，没有问题。"那一刹那陈非看到飞人眼里深深的疲惫，真的和他小时候心里念叨着"老而不死是为贼"时一模一样。陈非心里充满了兔死狐悲的同情。

几分钟后飞人依旧在保镖的簇拥下走出展馆，陈非掐着表，从他走出展馆到钻进汽车一共用了十五秒钟，在此期间飞人一直在挥手。然后汽车一溜烟跑掉了，身后一片崇拜者的欢呼声。

"好玩么？"硝烟散尽后，陈非问苏小麦。

苏小麦一脸怅然若失，什么都没说出来。等到两人准备在车站分开的时候，她忽然说："好像挺没意思的。比去动物园看狗熊还没意思。"

陈非一下子领悟到，这个故事似乎又可以提炼出一点什么意义，拿去教育杜愚。转头又想，其实万事万物都可以拿去教育杜愚，因为杜愚是个白痴，但只要承认了"杜愚就是一个白痴"这一前提，任何有意义的教育就会立即变得毫无意义可言了。

哪里才是"回"的终点？

冬季的到来意味着北京城一年中最糟糕的时光拉开序幕。当然这个所谓的最糟糕并不具备客观意义，只是对陈非个人适用。他很害怕寒冷，害怕窗玻璃上凝结的水汽，害怕地上冻成冰的脏水，害怕在寒风呼啸的早晨硬生生从温暖的被窝里爬出去时的无奈，尤其害怕挤车。

北京城的冬天很冷，人们个个裹得像狗熊，想象一下几百万头狗熊硬往公车里挤的场景，真是令人不寒而栗。上车之前，所有人在公交车站冷得像冰坨子，只能靠原地跳健美操来取暖，车子一来立刻调动起全身之力，挤、压、按、顶、推、踹十八般武艺齐上，到最后发生了不可思议的事情：虽然每个人的体积都比夏天增长百分之三十，但居然所有人都能最终挤上车，可见中国人的弹性天下无双。

陈非自从长胖之后就变得爱出汗，冬天挤完车尤其出得厉害，被车上的暖气一催，能感觉到汗水顺着背脊往下流。等到下了车，温度一下子下降了二十多度，冰冷的秋衣贴在背上，被风一吹别提多难受。陈非冬天总是感冒，有一大半原因都是这个。再加上处长一听到请病假就一脸死了娘的德行，生病的痛苦总会成倍增加。

这时候陈非就会想起家乡，那里的冬天其实未必比北京好受到哪里，因为当地没有暖气，所以室内外温度差不多，走在路上会感觉挺好，回家坐下一会儿就会开始发抖——和北京正好相反。如果没有早起挤车上班这回事，他没准会觉得北京的冬天其实挺美好的，但由于该前提不成立，所以故乡的冬天在记忆里被大大美化了。每到感冒时，陈非就开始怀念故乡的冬天。

这一年冬天陈非还没来得及感冒，却已经开始计划把年假用了，在冬天的时候回一趟家。这一小半是出于那段被美化了的关于故乡冬天的偏差记忆；另一小半是最近太累了，需要休息一下防止过劳死；一大半的原因还在于回去拜访一下亲友。过去陈非很不乐意拜访亲友，总觉得那种满面堆欢嘘寒问暖的场面活像在演话剧。但现在他不得不去试试水，兴许哪个亲戚金口一开就能借他几个平方什么的。太后不怒自威的面容依然压在心头，那是当前的头等大事，哪怕要为此演话剧陈非也非得硬上不可。

此外陈非还有一个用心：冬天回家看看，春节就不必回去了。陈非的家族擅长生育，他还不到三十岁，膝下侄儿侄女外甥外甥女已经有一个加强排。这些侄儿侄女外甥外甥女平时见不到，一到春节就都从地底下钻出来了，一个个挂着天真无邪的笑容向你伸出细嫩的小手。陈非每过一次春节就好像遭遇一次鬼子进村，那点年终奖都填到压岁钱的无底洞里去了。所以陈非想到春节就眼前一黑，能逃过一次算一次罢。

好在进入冬天之后，基本上也是展览业的淡季了，没什么展会值得费心的，所以处长虽然还是一张死了娘的脸，好歹批准了这趟年假。

陈非买了火车票，坐上了火车。这时候正是旅游淡季，而春运高峰还未来到，所以火车上人并不多，可以选择经济的硬座票。春节的时候可不一样，陈非动用一切关系都非买到卧铺不可，否则那就是一场巨大的生态灾难。春节时，仿佛全世界的人都来到了硬座车厢，其中一大半只买到站票，于是就坐在自带的小板凳上或者行李上，摇摇晃晃几十个小时，下车时个个小腿浮肿精神恍惚。在那种车厢里，上厕所都要排一小时队，吃饭时全车厢混杂着各种品牌的方便面味儿，闻多了这种味道就会让人反胃。

现在总算不错，车厢里并没有坐满，有让人伸展筋骨的充裕活动空间。陈非看着窗外每年都要看上两次、早已烂熟于胸的风景，间或和苏小麦发两条短信，觉得这三十多个小时也不是多么难熬。但后来又开始变得难熬，是因为在中途某一站——陈非已经记不清是哪一站了——上来了一个话篓子。上来一个话篓子本来没什么，如果该话篓子碰巧坐在你身边，那就有些要命了。

后来的十多二十个小时该话篓子就在陈非的座椅对面聒噪不休，谈话内容涉及政治、经济、军事、文化、环境保护、大学生就业、我家隔壁养狗的那家人真是太恶心了等诸多方面。陈非面带微笑如拈花听禅的老僧，手里不住发着短信向苏小麦抱怨：操他祖宗，这傻逼的嘴简直是用宇航材料打造的，怎么不说死了他丫挺的！

苏小麦的短信很快回来了，一张暧昧的笑脸之后接了几个字：听了你的形容，我想起你妈了……

这话把陈非噎得够呛，想起很快要面对自己的老娘，回家的喜悦登时淡成了白开水。他把视线从手机上挪开，转到对面话篓子的脸上，目光中充满愤怒。话篓子看了这眼神知道不妙，连忙住了嘴，不然说不定陈非真的会一拳给他揍到脸上。

提到陈非的娘，那是一个绝妙的人物。前文提过，陈非小学五年级时，为了争一张乒乓桌，被二年级小孩打得脸上开了花。二年级小孩的娘十分得意，掏医药费时无比爽快，那副得意的笑容把陈父气得够呛。陈非娘听闻此事，二话不说，当夜直奔对方家，堵在门口叫骂了两个小时，最后派出所民警来了才把她劝走。

从各方面看，陈非娘和太后都是两个阶层的人，相比太后的风度，陈非娘基本就是个锱铢必较的市井家庭妇女，拥有吝啬、嘴碎、泼辣、强悍、绝不吃亏等诸多优点。由于摊上了这样的老婆，陈父一辈子最大的爱好就是在家里喝闷酒生闷气，听陈非娘唠叨不休。

陈非此前曾经带苏小麦回过一次家乡，后来苏小麦就再也不肯去，因为"你妈输入的信息量太大，我处理不过来"。

这一点陈非打小就深有体会。老娘光是数落单位里那个讨人嫌的工长就可以一口气说上五六个小时，还不带重样的。她去菜市场买菜，为了两分钱可以磨整整一中午，磨到卖菜的哭笑不得跪地唱《征服》为止。

但最可怕的是不要让她提起她儿子，也就是陈非。陈非爹娘没什么本事，也没什么钱，至今还住在单位分的陈旧的福利房里，此生唯一的指望就是儿子。而陈非还算争气，读书时成绩一直不错，于是就总被陈非娘挂在嘴边。等到陈非考上航院，那可不得了，在老娘的认知里，北京的大学一定是好东西，恨不能在脑门上用红墨水涂上"我儿子考上航院了"。

但近两年老娘的态度有了一些转变，因为她发现陈非在北京工作后，似乎也并没有一夜之间大富大贵，相反连结个婚都结不起，这离她的期盼实在相差甚远。她想把家里重新装修一下，陈父还想弄辆车开，在陈非面前暗示过好几次了，但陈非头顶压着太后，已经足够焦头烂额了，实在不敢再加大补贴家用的数额，这让老娘更加不满。

陈非扳着指头数数，自己的一生好像都在让别人不满：上小学老逛电子游戏室让班主任老师不满，上中学物理老不及格让物理老师不满，上大学总是逃大班会让辅导员不满，上班后因为不能做业务让处长不满、能做业务了又让35C的武宁不满，谈婚论嫁的时候买不起房让太后不满。现在回过头来，连生身爹娘都开始不满了，这经常让他觉得自己这辈子算是白活了。

话篓子后来一路上再也无话，陈非在沉默中下了火车。家乡的空气扑面而来，有一丝凉爽，但不像北京的那样寒冷，让陈非觉得很舒服，尤其在刚刚摆脱了火车上过热的暖气的时候。他找到公交车站，等待着公交车，忽然觉得好像这一路火车的颠簸都没有存在过，似乎是自己跳上公交车就回到了家乡，再跳一次公交车就能回到北京。

接着他注意到自己有意思的用词，不管是北京还是家乡，自己用的动词都是"回"，但人不能回到两个地方，总应该只有一个地方才能用"回"，而另一个地方应该叫作"去"。家乡和北京，谁才是最后使用"回"的终点，这是一个有趣的谜题。胡思乱想中，陈非坐着公车进了家门。

父母已经准备好一桌子菜，恰如其分地像是迎接归家游子的规格。陈非闷头吃着饭，耳听得老娘絮絮叨叨。老娘过去的絮叨是无主题的，和火车上的话篓子一样，可以从政治经济一直跳到我家隔壁养狗的那家人真是太恶心了，但近年来发生了改变，陈非发现老娘的中心议题总是离不开别人家的孩子。张三的儿子自己开了公司，孝顺给老爹一辆新车；李四的女儿嫁了个有钱的老公，孝顺给爹娘一套新房；王二麻子的儿子年薪三十万，刚刚把父母孝顺到欧洲玩了一圈，从希腊的女神像到荷兰的橱窗女郎都看了个遍……显然老娘有所暗示、有所渲染、有所针对、有所影射。陈非没办法，只能装傻充愣，饭碗边沿正反射出太后那张优雅的脸。

晚上睡觉时陈非被冻醒了，然后醒悟过来自己忘了开电热毯，他把家乡当成了北京，以为会有暖气片源源不断地散发出热量保持室温。但实际上这里是家乡，没有什么暖气片，不开电热毯的话，被窝会凉得像冰。陈非打开电热毯，一边哆嗦着等待电热毯发热，一边想，我是不是已经很像一个北京人了呢？

　　这一年回家陈非没能借到一分钱，这甚至低于他的最低预期。在此之前他对苏小麦说，他有可能从他的二舅那里借到几万块钱，但这一点并没有实现。陈非来到二舅家时，没有看到二舅，只看到哭哭啼啼的二舅妈。二舅妈见了陈非——确切说，是见到来了一个人，她才不管见到什么人了呢——哭诉说，二舅涉及商业诈骗，已经进去了，现在自己一个孤零零的弱女子，面对着一屁股债，真不知道如何是好。陈非陪上一声叹息，虽然二舅妈体壮如牛，体形酷似肯德基的外带全家桶，外貌怎么看也和弱女子不沾边，他还是留下了五百块钱。后来他才知道，其实这时候二舅妈已经递交了离婚申请了，但她还是守在家里，来一个人就哭诉一番，等哭诉到了足够的钱之后，才施施然离开，并且一分钱的债也没有替二舅还。苏小麦听了这个故事，惊为天人，连呼"女英雄"！

　　其他亲戚家里大同小异，不是老爹闪了腰就是儿子长了水痘，总之中国人的习惯是，只要有人来借钱，家里就一定要出事。陈非每走访一家，就听到一堆悲惨的故事，自然是借不到钱的，听完这些故事他就对社会失去了信心，只觉得满眼望去，空气中的每一处都飘着"惨"字。

为了省钱，陈非这一段奔波都坐的是公交车。家乡这一点做得不错，公交线路四通八达，还往往有座，比不得北京的人山人海。陈非舒舒服服坐在椅子上，看着那些不再熟悉的街景从窗外次第掠过，忽然就觉得这座城市很小。他十八岁之前可一点没觉得家乡很小，除了送喜欢的女孩回家时会觉得这条路实在不够长之外，大多数时候他都觉得天地很宽广，每一天仿佛都能发现点新鲜的角落。但在北京一泡就是将近十年，他已经习惯了北京的硕大无朋，北京的无边无际，习惯了十站公交线路以内的距离叫作"近"，习惯了打车时司机总不认识路、还得现翻地图。眼下回到家乡，才觉得这座城市是那么小，小到让人有些呼吸不畅。

　　看来北京已经溶入到我的血液里了，他不无悲哀地想，虽然这座城市是那么庞大，那么忙碌，那么让人茫然无措，但我也许还是爱上了它。这个发现让陈非心碎。他很想摆脱这种爱，又觉得摆脱它就像放掉自己的血液一样困难。精子游向卵子，我们游向北京，一切的一切都不容改变。

　　陈非忙碌了几天，一无所获，看看年假的时间快到了，于是开始准备回北京。临走前的夜里，他在自己那间狭窄的卧室里来来回回翻看着十八岁之前购买的所有书籍，这是他打发时间的一种习惯。陈非十八岁之前，电脑这种东西还很贵，不是他所能负担得起的，自然也就没有电子版的图书可以看，想看书只能掏钱买。但他的零用钱不多，买的书也并不多，所以每一本书都被翻过十七八遍了，然而作为一种多年养成的习惯，他还是只能翻书。老爹在客厅里看电视，追逐着所有的新闻栏目，仿佛漏掉一点国家大事就会让他这个月少拿一百块工资。老娘不在家，出门和一帮同龄的老年妇女跳舞去了，但陈非以为她很可能只是借着跳舞的名头打听各种张家长李家短而已。

除此之外，冰箱在他的屋子里嗡嗡作响，阳台上的衣服被风吹得互相碰撞，那是因为陈非家太小，只能让他住这间直通阳台的，而且还得把冰箱和大衣柜都塞进去。经常在陈非睡觉的时候，父母就会进房来开冰箱、开衣柜、开阳台门，让他有一种自己睡在过道上的错觉。从这个角度上来说，陈非一直到了大学毕业，才算是拥有了属于自己的房间，但这房间其实不属于他，而是属于房东。

所以说，假如没有房子，陈非和十年前、二十年前的陈非并没有任何区别。虽然现在的陈非是一个肉嘟嘟的大胖子，十年前的陈非瘦得像根柴火，二十年前的陈非比现在足足矮了三分之一、嘴上连绒毛都还没长，但这三者之间存在一个共性，可以放入同一个集合里，该集合就是：没有房的陈非。

什么时候才能有真正属于自己的房间呢？陈非看啊看啊，只看到前方一片黑暗，完全望不到尽头的黑暗。

他无端地唏嘘了一阵子，打开电热毯准备睡觉，这时候来了条短信。他以为是苏小麦的晚安短信，拿起来一看却是胡二发来的。这条短信很简单，统共就六个字。

"我和她复合了。"胡二如是说。

胡二觉悟了

胡二说："我和她复合了。"这里的"她"，指的是胡二过去的一位女朋友。胡二读书多，一肚子的见识，加上口齿伶俐擅长花言巧语，虽然脸长得像果子狸，仍旧颇能讨女孩子欢心。不过他交的几任女朋友时间都不长，毕竟很难有人能接受自己的男朋友没有正式工作，靠着家教、替考枪手一类的活计维生。但其他的女朋友们不过是接受不了现状因而离开，这一位"她"却与众不同地试图改造胡二，成功地让胡二在中关村装了好长时间电脑，可算得独树一帜。

陈非到现在也不记得她的真名，就记得她的网名是"黑色枪骑兵"。他开始不明白这是什么意思，看到一个姑娘家的昵称里带有"枪"字，还觉得有点暧昧，后来才知道那是某部著名小说里的术语，网上叫这个名字的男男女女得有几万号，不由很为自己的无知而惭愧。而胡二正是通过这个网名判断出他和该姑娘存在相同的兴趣爱好，这才一来二去勾搭到一起的。

陈非依稀记得那时候也是一个初冬时节，按道理正是胡二开始加紧考研备战的时候。每年到这时候，他就会把胡二约出来大吃一顿，然后胡二就开始闭关，直到第二年考研结束为止。于是在最后一场秋雨落下后，他拨通了胡二的电话，接电话的居然是一个女孩，很有礼貌地告诉陈非，胡二正在洗澡，请他稍后再打过来。陈非愣了愣神，意识到胡二有主了。

几天后陈非见到了胡二与黑色枪骑兵。这个姑娘长得还算漂亮，但这不是重点，重点在于她周身散发出的气场。陈非一眼就能看出，这是一个相当独立、相当有个人见解并且很固执的人，不幸的是，胡二也是这样一个人。这样的两个人碰到一起，起初谈谈恋爱什么的还算不错，日子久了没准就要打起来。第一次见面，陈非就为胡二未来的命运捏了一把汗。

固执这种东西，不能说它一定坏，但也肯定不能说它一定好。比方说大学物理的老师固执地不让陈非过关，这就不是什么好事；胡二固执地非要考北大，也不大像是好事。而黑色枪骑兵的固执和胡二的固执正好南辕北辙。她认为人——注意不是大男人，而是男女普适的所有人——就应该早日成家立业。类似胡二这样想要躲在大学校园里暂时逃避世事的，就应该揪出来打倒在地，踏上一万只脚，让他永世不得翻身。

黑色枪骑兵用自己的经历实践着她的信仰。她在北京也已经待了好几年，由于学历不大好看，总是找不到好工作，但她毫不气馁，一年一年地换着各种工作，包括端盘子、卖啤酒、在北影门口蹲点做临时演员等等，现在终于在一家还算不错的私企干上了文秘，一个月有四千多块钱。考虑到陈非拿着航院的文凭也就拿那么多工资，你不得不承认黑色枪骑兵的努力还是很见成效的。

胡二和黑色枪骑兵因为对那部著名小说的兴趣而结识，开始是在网上，后来见面后都有点相见恨晚的感觉，进展神速。但在这样神速的进展之后，问题很快就出来了，黑色枪骑兵对胡二坚持考研的做法相当不以为然，一直规劝他去找份工作，"无论做什么工作都无所谓，哪怕去端盘子，去中关村装电脑。"

胡二说："那我明年再试一次行不行？这一次考不过我就真去找工作。"黑色枪骑兵想了很久，勉强同意了。结果胡二没有考上，分数出来的第二天，他跟着同宿舍的室友去了中关村，开始装电脑的生涯。

关于去中关村装电脑，有很多值得注意的地方。比如每一家装电脑的都会宣称他们会给你一个最低的优惠价，他们装出的电脑保管最稳定，所以这种话听了和不听一样。他们开始和你攀谈之后，就会判断你的电脑知识有多深，以此确定对付你的计策。

假如你是完全不懂行的货色，对电脑的全部理解在于天天都能在电视广告里看到的英特尔一定是好的，那你就完蛋了。奸商们首先会给你选择一款性价比最低的英特尔芯片，一根容量挺大的杂牌内存，一个大容量硬盘。这三样东西摆在面前，足以让外行眼前一花，剩下的东西就任由对方摆布了。胡二装机时卖出去的劣质主板劣质显卡劣质电源都是卖给这种人。

假如遇到陈非这样略懂一些的，就稍微麻烦一点，这种人对内存和硬盘的品牌，主板显卡的规格都有自己的要求，而且到村里之前肯定已经全面查过报价了，知道卖弄一些显存、位宽、频率一类的名词来吓唬人，懂得用软件查看配件的真伪。但纸老虎在革命者面前终究是要露馅的。这一类顾客往往只查过他所想要的那些配件，可以使用利器"缺货"来对付之。这一招不宜用在显卡和主板上，因为这两件东西多半有备选，但在机箱电源上尤其好用，因为一般人不是太注重机箱电源的选择，而这方面的利润空间尤其大。

光驱也是可以做文章的部件之一，当你挑好配置让奸商去拿货后，他往往会告诉你，你要的光驱型号有，但没有和机箱相配的颜色，这种时候一大半的人都会觉得，既然花了几千大洋，机器配出来理应符合最基本的颜色协调，于是要么换机箱，要么换光驱，总之又堕入术中。

这些只是最基本的方法，都是胡二后来告诉陈非的。胡二富于钻研精神，又粗通心理学，在村里装机当真无往不利。他干了大半年，在中关村无比激烈的装机竞争中生存下来，每个月的提成都不错，还和陈非一道联手宰了陈非的公司一刀。

那一年五月左右，陈非公司里连续两台电脑报销，剩下的若干台老机器看上去也岌岌可危。这些电脑都是五年前统一配的，在那个时候"奔四"还属于先进机型，现在则已经远远落后于时代了，到中关村的垃圾堆里都捡不到。当然了，对于业务部而言，别说奔四，就算是奔三奔二拿到手里也一样用，反正不外乎是些文字处理来往邮件，但关键在于，被这群人折腾了五年的电脑，基本等同于从巴格达的枪林弹雨里挣扎出来的，没太大活头了。单说老罗的机器，被老罗当成了爱情动作片下载机，那硬盘能存活五年实在堪称奇迹。

有一天公司老板正在写一份总结报告——这是他最擅长干的事情。他不懂得在电脑上处理文件要时刻保存的道理，嫌机器运行 Word 太慢，直接在记事本里写。其实机器本身是不慢的，但老板的机器里至少有上百个木马和上万个病毒在一起抵死缠绵，不慢才有鬼。老板写了上千个字，正写到振奋人心的总结语，电脑突然死机了，重启之后之前写的东西由于没有保存，全都消失了。老板摔了一个茶杯，立即责成办公室主任更换电脑，一共需要八台。兹事体大，办公室主任对电脑一窍不通，于是找上了陈非陪他去，让处长很不满意。

陈非带着办公室主任来到中关村，径直走向胡二的摊位，胡二装作不认识，热情地接待了两人。办公室主任提出要求，第一要稳定，不能跑一个 Word 就要花三分钟；第二要便宜，太贵的部件统统不能选。胡二满口答应，和陈非一唱一和一搭一档，把各种劣质部件加价百分之三十报出来，因为不需要重配显示器，一算钱也不过四千多块钱。办公室主任不懂得摩尔定律，依稀记得五年前的每台机器花了六千多，于是以为这次的机器果然便宜，连夸陈非有眼光。陈非握握胡二的手，庄重地说："谢谢你，辛苦了。"

后来胡二和陈非一谈起当时办公室主任的表情就忍不住要抚掌大笑。办公室主任对电脑配件一窍不通，却极力想要做出懂行的样子，胡二问："双通道要不要？"他就赶紧点头："要要要，双通道好东西！"胡二又问："显卡要显存512的还是256的？"他又赶紧说："用不着512那么多，256就够了！"其实这些最多跑跑Word的机器用得着狗屁双通道，用得着狗屁独立显卡。至于把价值五百块钱的CPU卖到一千，把250瓦的电源当成300瓦的，料想主任再长出一个脑袋来也看不穿。

胡二在中关村装机时很辛苦，几乎没什么休息日，和黑色枪骑兵约会的日子也挺少的，但黑色枪骑兵乐在其中，觉得胡二在正经做事，反而很欣慰，这让陈非觉得不可思议。苏小麦是一遇到陈非加班就愁眉苦脸，恨不得公司当天就倒闭，以便把自己的男朋友解救出来。相比黑色枪骑兵的境界，苏小麦真是应当汗颜无面。但是这样的女人我肯定不能招，陈非想，太折磨人了。

不只陈非，胡二也这么想。他为了让黑色枪骑兵舒服，过上了朝九晚五的工作，虽然挣的钱多了，但累得像条狗，心里本来就不大痛快。不久之后，黑色枪骑兵对他取得的成就感觉理所当然，并且又提出胡二可以去应聘一家正经公司了，这就更让他难受了。他觉得这个姑娘的要求或许是永无止境的，就像她的自身遭遇一样，永远都要逆流而上，永远没有满足的时候，这很不符合胡二的人生哲学。所以后来他大彻大悟，终于和黑色枪骑兵分手，再过了一段时间——就是陈非去找他诉苦的时候——辞去了中关村的工作，继续抱起书本啃起来。

但陈非万万没料到，事隔半年，胡二竟然又和这姑娘重新搅到了一起。第二天上了火车，他还在想着这个问题，不大明白胡二究竟在想什么。在他看来，年复一年地考北大固然很愚蠢，但那至少是胡二真实的内心，说明胡二走在一条顺从自己内心的道路上。人立于天地之间，从头到尾都是各种各样的牵绊与困扰，要做到顺从内心是很艰难的事，所以胡二再愚蠢也值得陈非佩服。

而黑色枪骑兵意味着这种内心的反面，意味着世俗的罪恶诱惑，胡二倘若向世俗的诱惑低了头，就不再是胡二了，半点也不值得陈非去佩服。可悲的是，胡二貌似已经低头了。

很久以后，当胡二与黑色枪骑兵第二次复合并且关系相当牢固了之后，他才告诉陈非，为什么他最终抛弃了考研的念头。他其实是被气的。

胡二爱上网，聊天工具的资料里通常都填着"北京"，那是他现在的所在地，他觉得这么填没什么不对。后来有一次他又在网上认识了一个北京姑娘，聊得还挺热乎，胡二觉得差不多该到提出见面的时候了。这时候该姑娘忽然发问："你是北京人么？"

"我不是。"胡二老老实实地回答。

"不是北京人干嘛要在资料里写北京？"

"因为我就待在北京啊。"

"最烦你们这些外地人，"北京姑娘冷冰冰地说，"待在自个儿老家不行么？非要到北京来抢占资源。北京都是被你们这号人弄乱的！"

胡二说不出话来。在把对方拖进黑名单之后——他估计这个姑娘也做了同样的事——他一晚上都没睡好觉。在他的心目中，北京城忽然变成了一个张牙舞爪的角斗士般的壮汉，正准备要把他挫骨扬灰。胡二暗自"呸"了一声，对北京城说：那好罢，我们来斗一斗吧。

酒后吐真言

陈非回到了北京，天气已经很冷了，风刮在脸上像是生锈的剃须刀在割，但进入室内很舒服，因为有暖气。陈非回到住所，脱下大衣，大大喘了口气，感到自己终于回到了属于自己的城市。

这时候已经进入了一年中工作最不好做的时段，因为临近年关，各单位忙的都是结算，对于下一年的展览计划通常顾不上考虑，换句话说，这也是一年中最清闲的时刻。陈非来到单位，打了几十个电话，大多告诉他"春节后再说"，于是他也懒得再费力。但是处长坐在身后，干活的样子总是要装的，于是他打开公司那个臭名昭著的花了二十多万元买的"展会管理系统"，偶尔动动手录入几条企业信息，更多的时候趁着处长没注意，切出游戏开始"杀人"。

说到这套系统，在办公室遭人厌弃的程度仅次于办公室主任。这又是老板当年一拍脑袋从一家软件公司买来的，听介绍功能十分强大，只需要把所有的展商信息一一录入，以后就可以用这套系统发送邮件、打印邀请函、发送传真、结算金额等等。老板听了介绍，喜动颜色，当场拍板，等到用起来才发现满不是那么回事。这套系统界面粗糙简陋，功能说明模糊不清，使用起来更加一塌糊涂，动不动就出错。所谓的群发邮件功能，发出去百分之九十九都是无法辨识的乱码，打印地址更是歪歪斜斜，而且一个地址一定要费一整张A4纸。此外它不具备智能识别公司名的能力，常常一家客户被四五个不同的人录入，严重占用资源。

但老板做的永远是正确的。所以这套系统继续名存实亡地被采用着，办公室同仁们往系统里白费力气地输入一些展商信息用来让老板满意，但在自己的工作里绝不肯用它。老板有时候心血来潮到办公室里转圈，看见没有一个人使用这套软件，脸上好像刷了一层青漆。

但不可否认，只要你打开了这套软件的界面，就表明你正在工作。所以陈非打开展会管理系统，杀一会儿人切回到工作界面，然后发一会儿呆，发够了呆再回去杀人，如此循环往复，直到午饭时间或者下班时间为止。经过几天的演练，陈非的来回切换已经相当圆熟，基本形成了本能。

这一天下班陈非并没有着急回去。这是他的习惯，尽量错开高峰再回去，反正回去了也没什么特别大的意思，除了上网就是听李萌抱怨资本家的黑暗，还得泡方便面，不如在单位附近解决一顿盖饭或是米线再走。他在游戏里瞄上了一个装备不错但操作奇差的人民币玩家，连杀了人民币玩家七次，惹得对方搬来一群帮手追着他一路杀到复活点。陈非没有办法，只好下线，然后完全是本能驱使地切到展会管理系统，开始发呆。

陈非从小就有发呆的习惯，一旦呆起来就神游物外，完全无视周围环境的变化。眼下他面对着眼前丑陋的系统界面，又开始呆若木鸡，三分钟回过神来，突然发现身后站着人，回头一看，竟然是老板。

老板一脸感动地看着陈非，重重拍了拍他的肩膀，叹曰："还是你们年轻人知道高科技的重要性，那帮老头子都不爱用这套软件，还是你行！"

那一刹那陈非有点错觉，觉得老板简直要热泪盈眶了。等到老板走出去，他定了定神，心里想着，杀人都能杀出马屁来，而且马屁一拍直接拍到了老板屁股上，这也算是时来运转吗？

当然，是否是时来运转，关键看你对这个词怎么理解。如果以多拿点年终奖金或者中点儿彩票来衡量的话，陈非依然在走霉运，没有半点转运的迹象；如果以走在大街上看到点傻热闹来衡量的话，陈非的运气还真不错，几天工夫看到了两场酒醉闹事的热闹，而且这两场热闹都发生在过去他以为绝对不可能产生热闹的人身上。

第一场酒发生在单位的年终总结会上。陈非的公司虽然效益不好，但身为国企，年底不花点公款腐败一下简直有辱声名。尽管他们不能像李萌的公司那样跑去滑雪、泡温泉，但至少找家好酒店消耗一点好酒还是能办到的。那一天晚上，办公室主任拎来了若干瓶五粮液，强调了无数遍"这可是真的五粮液"，单位能喝酒的个个心动。老罗不能喝酒，但他知道五粮液很贵，天底下凡是又贵又能免费蹭的物件都不可能逃脱老罗的魔掌，所以他兴致勃勃端着那将近一两的大酒盅连干了十多杯。上帝保佑，这可是五十二度的五粮液，老酒鬼尚且需要小心后劲儿，老罗一气喝下那么多，立马满脸红霞飞，眼神开始散漫，舌头也大了。

一般人喝醉了会有四种表现：一、甩动舌头喋喋不休；二、挽起袖子开始手舞足蹈；三、咧开大嘴嚎啕大哭；四、趴在地上开睡。老罗无可避免地要进入第四阶段，但在此之前，他把前三种玩法表演了个遍，以至于那个晚上留给人们太深的印象，此后一个月里见到老罗都要绕道而行。

最开始陈非正在和老板碰杯，自从发现了陈非下班后仍然对着会展管理系统沉思的感人事实后，老板就对陈非青眼有加，而陈非乐得装糊涂，此刻借着酒劲说上几句恭维的话，似乎也不为过。两人言谈甚欢，忽然老罗就插了进来，举着杯子向老板敬酒，脸红得像猴子屁股。

"老罗，今天兴头很高嘛！"老板打趣说，"平时你可是个闷葫芦。"

"那是工作的时候，现在是娱乐的时候，不一样！"老罗圆瞪双眼，"工作的时候，你是领导，我是下属，你说什么我都听你的，但是酒桌上无父子，在我眼里，现在谁他妈的都是孙子！"

这话一出，本来热闹的包间里忽然安静下来。虽然喝酒的确是一个可以随便的场合，但随便到把所有人都当成孙子，尤其其中还包含老板，未免稍微有点过分。而这话竟然是从老罗嘴里吐出来的，又隐含了几分滑稽，所以老板很难得地并没有生气，只是拍拍老罗的肩膀，"喝醉了吧？去休息休息！"

"我没醉，孙子才醉了！"老罗胡言乱语着，惹得所有人都笑起来了。但接下来老罗说的话让所有人不笑了。

"你们笑什么笑，有什么好笑的？"老罗举着空酒杯原地转了个圈，"你们不就是瞧不起我么，我知道我抠门，小气，专门贪小便宜，公司里不见了的手纸和洗手液都是我拿的，可我不抠门，不小气，不贪小便宜，我怎么在北京活下来？"

陈非心里一震。他记得此前曾听同事讲过老罗的过去。老罗是东北那边的城里人，生于上世纪七十年代初，父亲没能熬到"文革"结束，老娘是农村妇女，无文化无技能，一个人含辛茹苦扫大街把他养大，又硬着头皮举债让他上了大学。当然那时候还没有搞教育产业化，读大学成本并不高，尽管如此，对于他的老娘来说还是很大的经济压力。据说老罗大学时一个月都未必能吃上一顿肉，身上的衣服竟然还打着补丁，对于上世纪九十年代初的年轻人来说着实有些不可思议。

挺到老罗大学毕业，老娘的身体也就垮了，在老罗参加工作的第三年死去了，死之前两个月就坚决要求把自己抬回家，因为住院花的钱太多。从此以后老罗就是彻底孤零零的一个人了。这些事情似乎也是一次老罗喝醉酒之后吐露的，除此之外，老罗在单位没有朋友，下了班也总是独自活动，没有谁了解他。在同事们眼中，老罗存在的价值就是给大家提供笑料，供诸如苏小麦之流的家人朋友开心一乐。但现在的老罗，身上似乎多了一点什么，让陈非在旁边瞧着，心里涌起一股酸楚的味道。

"我妈临死之前我答应过她，无论如何要好好活着，要成为一个他妈的北京人，让老家那些嘲笑我们的人统统玩蛋去，"老罗的眼眶红得像头愤怒的公牛，摇摇晃晃地按住桌子支撑着身体，"我现在就是个他妈的北京人，我有房有车，我在北京活下来了，你们喜欢取笑我，随便笑去，我不在乎！"

老罗其实挺在乎吧？陈非在心里想。但是如他所言，他挣扎着在北京活下来了，相比这一个伟大的成就，其他的细节又算什么呢？这无非是个心里存了个目标，然后不顾一切完成目标的人而已。

其实我连老罗都不如，陈非有些忧郁地想。老罗叽里呱啦又说了一大堆，从老板到办公室主任到陈非武宁，每一个人都骂了个遍，大家默默地听着，由着他撒疯。后来老罗终于睡着了，才算是停止了唠叨。第二天上班他又恢复了往常的猥琐模样，不住道歉说昨天我喝多了，没做什么失礼的事情吧？同事们摇摇头，告诉他他醉了之后就睡着了，只不过要了一套醉拳而已，到最后也没人告诉他究竟发生了什么，老板和处长也有些不可思议地没有对老罗采取任何惩罚性的报复举动。

老罗骂陈非的话是这样骂的："成天端着一副大学生的臭德行，懂点英语懂点电脑就了不起啊？没什么钱还装穷风雅。你女朋友也老大不小了吧？你是个男人，懂得什么是男人的责任吗？"

这话的前半截陈非浑不在意，反正武宁也那么说过，他觉得自己知道自己不是那种人就行了。这年头大学生比狗还多，而陈非还是靠着胡二的友情支援才涉险毕业的，他再蠢也不至于拿这一点作为骄傲的资本。但后半截话对他的打击不小。晚上回到家，他带着酒意躺在床上，反复思考着：男人的责任究竟是什么呢？是像老罗那样生憋出一套房子来给人安定感么（虽然老罗至今仍然单身）？如果这番话成立，那自己是不是就算是耽误了苏小麦的青春年华了呢？

他无法遏止地开始想到了以后的日子。假如他三年五年还是凑不够买房的钱怎么办？那时候苏小麦都年过三十了，如果还死犟着非和陈非在一块儿，太后是不是真的要以死相逼？那难道要……和苏小麦分手吗？

想到"分手"两个字，陈非的心里一紧，觉得心脏有点隐隐作痛。他已经早就习惯了和苏小麦在一起的日子，假如有一天生活里没有了苏小麦，他真的恐怕会不知所措。两个人在一起就好比一锅慢慢熬炖的汤，熬得不好的汤很快就沸了，糊了，变味了，但熬得好的汤却能熬出一种叫作"习惯"的滋味来。喝多了这种汤，再喝别的汤难免会觉得涩口。陈非习惯了苏小麦，苏小麦也习惯了陈非，而两个人也都老大不小了，要再形成一种新的习惯，只怕是很累人的一件事。

大概是因为活着本身就是一桩很累人的事情吧，陈非迷迷糊糊进入了梦乡，连手机短信都没听到。一条是苏小麦的晚安短信，另一条来自于同学老宋。老宋说，临近年关，大家伙拉出来聚聚吧。

　　陈非所见的第二场热闹就来自于这次同学聚会。关于同学聚会，众所周知，那就是一场羞辱与被羞辱的过程。比如你像老宋这样是土生土长北京本地人，又进入了一家好银行工作，年薪几十万外带高福利，如今开着新车住着新房，就有资格羞辱所有人；陈非这样虽然无房无车有点微量存款，好歹工作看上去还算体面，每年还能捞到点公费出国转悠的机会，也可以带着矜持的笑容坐在桌旁，纵然羞辱不了人，至少不至于如何被羞辱；王小骚这样连工作都不大好听的只能住地下室的，就只能尴尬地嗯嗯啊啊，基本处于接受羞辱的状态。至于杜愚，压根就没有来，虽然他的"自由撰稿人"听上去蛮像那么一回事，但只有陈非知道底细。

　　大约是因为同学们好久没聚过了，这一次来了十一个同学，再加上各自携带的家属，声势不小。十一人中，有九个已经结婚或者正在恋爱中，其中五个都把各自的另一半带来了，陈非就带来了苏小麦，胡二也带来了黑色枪骑兵，但王小骚独身前来，没有带他那位魁伟的未婚妻。

　　其实同学会顶没意思的，谈来谈去都是一些废话，但人类是一种奇怪的生物，总喜欢发明各种顶没意思的场合然后逼人去参加，比如同学会，比如婚礼，比如中学的考前动员会，比如大学的大班会。由此可见人活着离不开废话，一旦有一段时间接收不到废话就会短命，因此需要给大家准备一些充满了废话的活动来帮人延续寿命。

这次聚会照例废话成堆，中心议题换来换去，不知怎么的换到了婚恋上，这似乎是一个永远能勾起人兴趣的话题。而王小骚好像对这个话题满紧张的，一直不停地喝着啤酒。他的酒量本来不怎么样，喝掉四瓶啤酒后已经有些昏头涨脑。

而话题也很应景地转到了王小骚身上。人们纵情回忆着他读大学时在花间穿来穿去的情景，这些故事总是以"你们还记不记得，有一次上航概课的时候，王小骚又……"开头，然后以"可惜最后人家还是没看上他"结尾。王小骚从来是个好脾气，多年来在大家的嘲弄中安之若素，但那些时候他都没有喝酒，而眼下他喝了四瓶啤酒。

陈非没有留神到这一细节，因为他也喝得有点多了，人喝多了酒难免忘乎所以，陈非也不例外。他眼瞅着一言不发的王小骚，忽然嘿嘿笑了起来："小骚，今天为什么没把你未婚妻带过来啊？"

"她在家里……有事……所以不来。"王小骚喃喃地说。

"恐怕还是舍不得带出来亮相吧？"陈非没有注意到王小骚的脸色已经变了，"太漂亮了，怕带出来被人惦记着，是吧？"

王小骚的右手紧紧握住一个空酒瓶，"是啊……怕人惦记着。"

"你们是都不知道啦，小骚的媳妇儿长得那叫一个够档次，"陈非不顾苏小麦一直掐着他的胳膊，洋洋得意地说，"但是你们没有眼福喽，只有我老人家才亲眼见过。用现在网上的流行术语说，那叫一个亮瞎了我的狗眼……"

啪的一声脆响，吓了所有人一大跳，原来是王小骚把啤酒瓶狠狠砸在桌沿上。酒瓶的大半部分当场磕碎了，剩下王小骚手握的瓶底部分，断口处一圈凹凸尖锐的碎片。据说有经验的人打群架都用这种武器，一扎下去就能见血，所以人们没回过神来，以为王小骚是要和陈非决斗。当即站起来几个人试图拦住他，几个女同学干脆配乐般地尖叫起来。

　　但王小骚并没有扑过去。即便是在酒醉的时候，王小骚还是王小骚，没有胆量扑向任何人掐他的喉咙或是用砸碎的啤酒瓶捅了他。就在陈非顺手抄起一个完整的啤酒瓶打算自卫时，王小骚哭了出来。他把酒瓶扔到地上，放声大哭起来。

　　"太他妈挤对人了你们！"王小骚抽抽搭搭地哭着，"这么多年了，从来没有谁看得起我，我都知道，心里明镜似的！"

　　陈非的酒醒了一点儿，慌忙跑到王小骚跟前，磕磕巴巴地道歉，王小骚一把把他推开，"没你的事儿！"

　　狗屁才没我的事，还不是我一句话说坏了？陈非想，但王小骚已经不可理喻，没法儿劝住了。他的脸上涕泪横流，回忆着从大学时代开始每一次人们拿他取笑的经历，众人这才不是滋味地发现，原来每个人都曾经拿王小骚取过乐，原来王小骚把每一件小事都记得那么清楚。他只是不说出来，但那些事像一道道伤疤刻在心头，从来未曾消退。这些伤疤又像是洪水，一日复一日地泛滥着，只不过一直被忍耐的堤坝强行束缚住而已，但陈非在堤坝上开了个小口子，于是决堤了。

所有人愣在桌旁不知所措，看着王小骚一路把他四年里以及四年之后所受的屈辱都数了个遍，然后他话锋一转，忽然转到了他过去的生活。

　　王小骚说，他的老家土地贫瘠，全村只有一口井可供人畜喝水，在来到北京念书前，他几乎从来没有痛痛快快洗过澡，当他看着宿舍水房里那些由于洗衣人忘了关水龙头而白白流淌的自来水时，竟然会有犯罪感；王小骚说，他家一个月也难得吃上一回肉，他每天走两小时山路去上学，中午就是一张饼配几根咸菜，以至于他现在闻到咸菜的味道都想吐；王小骚说，为了供他这个家里唯一的男孩上大学，他的两个姐姐一个妹妹都先后辍学，尤其是他的妹妹，比他还小两岁，可当他在航院校园里念书的时候，妹妹已经在深圳的血汗工厂打工了；王小骚说，你们没有受过穷，压根不知道穷是什么滋味，压根不知道挨饿是什么感觉，所以你们根本无法体会一个北京人的身份对我有多重要，那根本就是一辈子唯一的希望。

　　王小骚说，我知道我老婆长得很不好看，不然陈非不会高兴得想要跳舞，我也知道我和她甚至于并不志趣相投——虽然我可以装出志趣相投的样子来。但我一定要脱离那个可怕的山村，一定要在北京立足，一定要变成一个北京人，这是我一生的目标，永远不会改变。你们可以取笑我，尽情地取笑我，用你们上等人的目光来取笑我，但我也不会改变。

　　王小骚嘟嘟囔囔地说啊说啊，说到最后终于趴在油腻腻的餐桌上睡着了。人们面面相觑，都觉得有点脸上无光。陈非打电话叫来了王小骚的未婚妻，她把王小骚领了回去，于是所有人都见到了她，但没有人笑得出来了。

这之后的很长一段日子里，每当想起太后催房子之类的烦心事时，陈非就会想到老罗和王小骚，这两个人分别采取了截然不同的方法，付出了极大的毅力，为自己争取到了幸福的机遇。而自己到底做了些什么呢？除了打上领带人模狗样地上班、回家扯下领带骂老板的娘之外，自己真的干过什么事吗？他觉得自己或许永远也不会成为老罗和王小骚那样的人，那么苏小麦和自己的幸福究竟在何方呢？

那些温暖的气味只属于家乡

两场醉酒之后，眼看着圣诞节就临近了。这是陈非最不喜欢的节日之一，原因在于这个节日总能让无知群众瞎闹腾，偏偏上头又不把它定为法定节日，这二者结合起来简直要命。

每到圣诞节就是陈非最痛苦的时候，因为他必须要费力找到一个有情调的地方，陪苏小麦吃圣诞大餐。苏小麦不是陈非，最喜欢圣诞节的调调，反过来对陈非的种种理由不屑一顾。

"我乐意过洋鬼子的节，要你管？"苏小麦瞪着陈非说，"我乐意给无良商家送钱，要你管？我就是不信耶稣但我偏要庆祝他的生日，要你管？"

和女人说话，最怕的就是对方蹦出"要你管"三个字，苏小麦重复三次，说明陈非再不顺从的话后果可能很严重。于是陈非最终还是屈从了，一到圣诞节就挖空心思寻觅圣诞礼物，并且提前订好晚餐的座位。

但是今年圣诞出现了意想不到的变化，苏小麦提前一星期给陈非打了招呼，今年圣诞不过了，这让陈非十分奇怪，好似见到了一条不啃骨头的狗。

"你怎么了？"陈非问苏小麦。

"省点钱吧，"苏小麦简洁明了地说，"你说得对，圣诞节的时候就是奸商宰人的最佳时机，我不想再被宰了。"

苏小麦的潜台词没有说出来，那就是省钱是为了房子，不知怎么的，这让陈非有点怒气冲冲。他觉得最近半年来活得太憋屈，好像无论干什么都要围绕着该死的房子转，生命中除了房子之外再也找不到第二个重点，上班赚钱、下班省钱、四处找钱，一切的一切都被房子压住，压得人头昏眼花喘不过气。

"凭什么要省钱！"陈非大声说，"不省了，省个屁，咱们就过圣诞！我现在就订座去！"

"喂，别那么激动好不好？"苏小麦有些意外，"我说不过圣诞还不是为咱们着想。"

"我不激动，我一点也不激动，"陈非的声音越来越大，"我他妈烦了，我偏要过圣诞，谁不让我过我跟谁急！"

陈非一甩手，手里的一本书掉到地板上，发出一声钝响。苏小麦也火了，"你吃枪药了？你心里有气冲着我撒干什么？告诉你，我可不是你的出气筒！"

苏小麦摔门出去，留下陈非一个人发呆。印象里这是最近一年多来头一次和苏小麦吵架，似乎两个人的心里都郁积着太多的邪火，非得找个缺口宣泄一下。他躺在床上，火气慢慢消退，转化为了沮丧。如果说发火是红色的，那么沮丧就是灰色的，并不起眼，却一点点悄悄蔓延，直到填满世界的每一处角落，让人无论望向哪里都是令人呼吸不畅的灰色。

在这无处不在的灰色中，陈非觉得自己的四肢正在一点一点软化，简直动都不想动一下了。

最后两人都装作此事没有发生，陈非选择了折中的方案，并没有订圣诞夜的大餐，但还是给苏小麦买了一串粉晶的手镯作为礼物，也隐含一点赔礼的意味。苏小麦的手镯加起来已经可以环绕陈非的房间一圈，但还是半点不会嫌多，得到这串粉晶十分欣喜。

两人还是在一起过了圣诞，虽然这次没订什么地方，只是一起到西单逛了一晚上。冬夜的寒冷丝毫不能阻止红男绿女们附庸风雅地享受圣诞，西单挤满了人，吃饭的地方个个都得排队。苏小麦无所谓，两人在路上边走边吃，从炸鸡腿吃到章鱼烧，自得其乐。陈非忽然发现，比起在法式餐厅里耍宝似的玩弄刀叉，似乎还是这样的夜晚更加惬意一点。

他陪着苏小麦从一家商场逛到另一家商场，无论标价黑得让人想揍人的还是便宜得让人怀疑有诈的地方都走了个遍。陈非不爱逛街，每次逛商场都是陪着苏小麦，已经养成了用耳朵过滤一切叽叽喳喳声的能力，任由对方一个人说个不停。而苏小麦也习惯了自己说出去的话得不到任何应答，好像男人和女人逛街都应该进入这种模式。

如果说北京还有什么地方能够属于外来的游鱼们，那大概就是西单王府井之类的地方了，陈非想着。不管有钱没钱，任何人都有资格踏足于此，任何人都可以在宽敞的大街和富丽的商场里溜达，翻看着那些标价四位数五位数的商品作一脸不屑状。除此之外，人们白天憋屈在写字楼里，下班了憋屈在公车和地铁里，天黑了憋屈在自己的小出租房里，这样的事情半点也看不出你待在哪里，因为它们完全也可以属于厦门，属于成都，属于兰州，属于任何一座稍微像点样的城市。只有西单、王府井、后海、三里屯们能标记出北京的特殊属性。人们走在这些地方，才会意识到：原来我生活在北京，是这座城市跳动的心脏里一个微不足道的细胞。走在西单的霓虹灯下时，他们才会感受到待在北京的幸福，并且奢望着这样的幸福一直延续下去，不要让自己回到狗窝一样的出租房对着冰冷的墙壁流眼泪。

后来两人走累了，在商场里卖冷饮的地方坐下来，陈非给苏小麦要了两个看起来就腻死人的冰淇淋球，自己喝着橙汁。苏小麦吃掉一个冰淇淋球，扭过头问："你春节真的不回去了？"

"不回去了，"陈非点点头，"刚回去过一趟，该见的亲戚都见了，意思尽到了就行了，春节待在北京好好休息一下吧。"

"而且还能省压岁钱。"苏小麦的脑子倒也转得快。

"不要说那么直白好不好，"陈非叹口气，"好歹给我留点自尊。"

"自尊要是能卖钱的话，我就把所有的自尊都卖掉换成钱。"苏小麦凝视着杯子里正在融化的冰淇淋球，幽幽地说。

这之后两人陷入了长时间的沉默，陈非喝光了最后一口橙汁，把吸管嘬得吱吱作响。苏小麦也把最后一勺冰淇淋填入嘴里，忽然开口问："我留下来陪你怎么样？"

"你说什么？"陈非一下子没反应过来。

"我说春节不回家了，留在这儿陪你。"苏小麦说。

"说得容易，太后能让你不回家过年？"陈非说到这儿，看看苏小麦的表情，忽然就明白了，"你是不是想躲着她？"

苏小麦苦着脸，"当然得躲着她了，她已经快把我逼死了，也就是长途电话太贵，不能说得太多。我要是回家去，她还不得一天二十四小时给我做思想工作？"

陈非可以想象。太后在他面前作矜持状，在苏小麦面前不会有半点客气，他完全能想象太后口中自己的形象是什么：窝囊，不会挣钱，家庭也不能依靠，没有上进心，完全是新时代的三无青年。要让自己的女儿嫁给这么一个三无青年，太后肯定是宁死不从。

这个话题让陈非的心情变得很糟糕，但很显然，让人心情糟糕的话题或迟或早都会浮出水面，不可能一直在水下憋着，憋久了会发酵，让人更难受。这是北京的属性，你想要待在北京，总得不断经历类似的话题；这同样也是婚姻的属性，你想要娶一个姑娘做老婆，就得做好被丈母娘当头棒喝的准备。这样的属性是西单无从改变的，逛一万次西单也改变不过来。

陈非往椅子上一靠，看着身边的男男女女带着不同的表情风一般掠过，不知道他们脸上所洋溢的幸福的笑容有几分是真，又有几分是假，也不知道他们当中有多少人和自己一样，在种种压力的夹缝下喘不过气来，还必须随时随地佯装无所谓。

不知不觉商场的广播响起，提醒人们赶紧滚蛋，他们要关门了。陈非拉起苏小麦，没精打采地走出门，在扑面而来的寒风中响亮地打了个喷嚏。打完喷嚏，他对苏小麦说："那就别回去了，一起在这儿过春节吧。"

他很害怕听到苏小麦回答"其实我就是说说而已""春节怎么可能不回去呢"，但苏小麦很开心地蹦了起来，"那就说定了！"

真应该从小让她练蹦床的，陈非又冒出这个古怪的念头，太后除了会催房子，还会埋没人才。

陈非和苏小麦一起过了圣诞，又过了新年，眼瞅着春节就要到了。于中国人而言，公历的新年只意味着一天假期而已，春节才是头号大喜事，同时也是头号大麻烦。到了这个时候，全中国的人都要往火车、汽车、飞机里面挤，为了赶在那个日子走进家门。陈非一向不明白这种事情意义何在，只觉得春节的火车挤死人，春节的鞭炮声吵死人，但他也只能乖乖依从习俗，每一年想方设法弄到卧铺票，坐上几十个小时回家过节，然后再坐上几十个小时回北京。过节期间，他不得不随着父母四处访亲拜友，把辛辛苦苦赚来的银子通过压岁钱的方式再散出去，以至于每一个春节都让他觉得像是一场劫难。他甚至希望不要有春节就好了，这七天假期搞得他比不放假还累，但几千年的习俗是不可逆的，假如有人胆敢提出取消春节，肯定会被剥了头皮点天灯。

春节的时候，附近的小饭馆关掉了一大半，都回家过年去了，好在超市一直都开着。陈非囤了一堆熟食，囤了一堆速冻食品，苏小麦备好了能把一头牛辣死的咖喱粉，就算是做好过节的准备了。李萌照旧要坐飞机回家，可以把七天二人世界留给陈非与苏小麦。

苏小麦终于还是成功留在了北京，这可不容易，她和太后足足抗争了一个月。太后苦口婆心，花了一个月时间，仍然没能劝到苏小麦回心转意，终于忍无可忍，长叹一声：朽木不可雕也。然后她就不管了。苏小麦很高兴，朽木就朽木，不要紧，只要不回家面对着太后那张苦瓜脸就好。

到了三十那一天，陈非忽然觉得空气里飘动着一种异样的味道。这本来是他和苏小麦轻松享受的一天，但却怎么都觉得不对劲。他奇怪了一天，甚至一度怀疑煤气泄露了，始终不得要领。晚上他煮了一袋速冻饺子，切好了卤牛肉和网上买来的家乡特产腌腊猪耳朵，和苏小麦坐在床上聊天，耳边任由春晚的声音在电视机里聒噪着。这也是一种古怪的传统，在人民群众娱乐生活相当匮乏的时候，春晚可以当作一桌精神大餐去享受，而到了二十一世纪第一个十年都快走完的时候，老百姓什么没见过什么没玩过？偏偏人们还是习惯于守在电视机前看那台越来越寡盐少味的硬邦邦的作秀，可见传统的力量仍旧有着强大的威力。

傍晚时分鞭炮声就已经不断地响起，临近午夜，北京城变成了巴格达，持续的轰炸不仅让人听不清电视，甚至连打电话都听不见声响，而就在鞭炮声达到最高潮的时候，陈非忽然明白了他一直觉得不对劲的究竟是什么。

　　他还是感受到了冷清。这冷清是春节的特殊氛围带来的。他刚工作的时候，还不认识苏小麦，一到周末就一个人到公司上网，那时候并没有觉得冷清；现在身边有苏小麦陪着，仍旧觉得冷清，因为这不合春节的氛围。春节似乎就应当是一大群人围在圆桌旁说着废话打着哈哈，一个个吃得油光满面，然后小崽子们伸爪讨压岁钱。那种时候电视里放着难听到要死的春晚歌舞，主持人的脸都快笑僵了。餐桌旁的人们抽着烟喝着酒，满桌的菜只被吃掉一小半——但垃圾桶里已经堆满了骨头，还有几个大号的空饮料瓶。小崽子们上蹿下跳，被从门外传来的硝烟味儿所诱惑，不断要求出门去放鞭炮，或者他们会立即展开与父母的谈判：今年的压岁钱多给我留两百块吧。那种时候陈非吃得脑满肠肥，心里有点烦，但也可以接受：过年了嘛，一年也就闹腾这么一回。再过一会儿会有热气腾腾的饺子端上来，然后人们一起抱怨：肚子都圆了，吃不下了……

　　这个发现让陈非明白，他终于还是没能摆脱掉该死的春节。那些温暖的气味只属于家乡，属于家里的餐桌，而在北京城，再浓重的鞭炮硝烟都和温暖无关，北京只有他妈的速冻饺子和他妈的寂寞。

　　这时候陈非莫名其妙地想到了杜愚。他粗略判断，杜愚应该不会回家过年，多半为了省钱还待在北京呢。三十晚上已经结束，但好歹可以叫他初一过来聚聚，杜愚会做饭，也可以换换餐桌上的口味，不用总是吃味道差不多的卤菜和苏小麦的招牌咖喱。于是等到放鞭炮的高潮过去，他给杜愚打了一个电话。杜愚接起电话，听声音状态还不错。

"我过不来！"杜愚在电话里大声喊道，这说明他那边的鞭炮高潮还没有过去，"我现在住在工作室里面，忙着呢！"

"住到工作室？什么工作室？"陈非不大明白，"是你说的那个什么儿童文学家吗？"

"不是！那个活没有成，黄掉了，"杜愚说，"我现在帮别人做剧本呢！"

好厉害！放下电话后陈非想，杜愚能做剧本了，那可真是大大进化了，没准儿哪一天看一个电视连续剧，能看到"编剧杜愚"四个字，够威风。但他很快又想到，发生在杜愚身上的事情哪会有这么顺利，这搞不好又是不署名的枪手活。对于杜愚来说，那才是他的生活常态。

命运没那么容易改变

做枪手近乎于一条不归路，一旦做了枪手，就很难翻过身来，这是杜愚最近得出的结论。最可悲的在于，他甚至于连一个枪手都做不好。此前的垃圾玄幻小说姑且不说，前些日子倒腾的模仿儿童文学家，他自认为把握很大，没想到半个月后对方通知他，他没能选上。

杜愚相信其中一定有猫腻，但具体有什么样的猫腻他也不知道，不过这方面可以推测。在这一行当里混久了他才知道，即便是为外人看不起的枪手活儿，也得靠人情关系。你和出版方关系密切，对方不论你写得好写得差——只要别到文字不通顺的程度——都会用你，否则你把儿童文学家模仿到他自己都辨别不出来也没啥用。

而这又狠狠打到了杜愚的软肋上，让他依稀回忆起自己四处跑着卖猪肉，却一片都没有卖出去的黑色时光。有些人生来不会和人打交道，杜愚就是其中之一，他卖猪肉时总是经历从血压急升到如丧考妣的阶段，到最后话都说不出来。同样的，要他去和任何人套近乎也会让他头脑发涨喉中作梗。他选择卖文为生，不外乎是觉得以后可以只和键盘打交道，而键盘绝不会冷眼看人，但键盘没法给他安排活儿，最终还是又绕回到人身上去了。

这大概就是所谓的交际恐惧症？杜愚觉得自己完全可以替自己确诊，却又找不到药医。他回顾自己从小到大种种经历，得出了结论，自己只有永远低着头走路、完全不看到人才能感受到自在，然而世界终究是由人构成的，所以杜愚只能永远不自在。

现在杜愚在帮人做剧本，所谓帮人做剧本，意思就是说，剧本做好了不会有你的署名，所以陈非的判断完全正确，这仍然是个枪手的活计。这件事的发端其实还和顶替掉杜愚为儿童文学家干活的那个枪手同行有关。该同行和儿童文学家工作室的女助手很熟，所以走了个过场交样章后，顺利得到了这个活儿。恰好就在这时候，一个影视剧本工作室也找上了他，希望交给他一个为剧本做文学脚本的新活儿。此时他已经接下了儿童文学家的工作，不能再长出两只手来，想想杜愚反正被他顶掉了正在闲着，索性做个顺水人情推荐了杜愚。

所以杜愚开始替人做文学脚本，文学脚本这四个字听起来很敞亮，说白了就是编故事。对方给出大纲，杜愚根据这份大纲扩展出文学故事，然后对方再去写成分镜脚本。这样的活儿杜愚做起来倒是得心应手，因为根据大纲扩展故事的工作方法和之前的垃圾玄幻小说差不多，他已经有了经验。他所没有想到的是，这个剧本比玄幻小说还要烂一百倍。

故事发生在一个架空的世界里，主角是一个高大威猛英俊潇洒和蔼可亲满腔正义的大侠，该大侠原系天神转世，为了拯救众生的苦难，毅然留在了凡间，率领着四处收来的手下与大魔王转世的邪恶组织进行英勇斗争。这个背景本来就很让人吐血了，而故事的行进更是烂俗无比，基本上沿袭了陈非小时候看过的《非凡的公主——希瑞》的套路，邪恶组织不断产生各种阴谋，英勇大侠不断打败敌人破除这些阴谋。在此过程中，英雄和魔王就像玩网游一样不断积累经验值，不断升级。

当然了，作为电视连续剧，不能像玄幻小说那样不断和女人上床，否则不可能被广电总局审过，但各种各样的恋情一定不能少。杜愚没有谈恋爱的经验，但必须为男主人公至少安排五个女性在身边围绕，这一点让他很头疼，于是他问对方，多添加一点打斗成不成？

对方把他狠狠训了一顿，说他写玄幻小说写到走火入魔了。若是玄幻小说，男女主角只要看对眼了，直接脱衣服上床就行，但电视剧不能那么直露，需要添加大量的细节——不然每集四十分钟的时间怎么熬？恋爱的剧情是最不花钱同时最能消耗时间的情节，倘若一集电视剧从头打到尾，那点可怜的预算早就被打没了。

对方还有一点潜台词没说出来，那就是多一些女性角色，就能多一些试镜的女演员，多几分潜规则的可能性，但杜愚还是一点一点领会到了。没有办法，他跑到书店租了一些言情小说来看，看到浑身鸡皮疙瘩。最后他忽然顿悟了：既然整个大纲都是抄抄改改拼凑出来的，我的恋爱段落为什么不如法炮制呢？反正这年头的影视剧无非就是你抄过来我抄过去，理当顺应潮流。

解决了恋爱剧情的大难题，剩下无非是一些体力活。杜愚每天只睡五个小时，春节期间索性住到了工作室的商住两用房，和工作室成员一边讨论一边奋笔疾书。这个剧本长达四十集，足够让杜愚敲键盘敲到手抽筋。三十夜里陈非给他打电话的时候，他就正在安排着男主角的情人二号和情人三号争风吃醋的桥段。当窗外的鞭炮齐齐炸响时，他绞尽脑汁地琢磨着是让情人二号取胜还是让情人三号取胜，或者让两人都战败，提前引入情人四号。陈非的电话打完，他才意识到这已经是春节了，而他甚至忘了往家里打个电话。

春节对杜愚早就失去了意义。从大学毕业之后，他没有任何一年回去过春节，无他，就是为了省钱。实际上，读大学的时候他也很想像王小骚那样春节不回家，看宿舍楼或是做保安，还能赚一点钱，但那时候父母执意不让。现在父母说什么他都管不了了，只能一年年推说自己工作忙。父母对杜愚的实际近况半点也不知情，以为他忙于写书立说，也就不催他回家了。

这一天杜愚工作到半夜三点多才躺上床睡觉。这间屋子的暖气不足，被子也薄了点，他只能把脱下来的外衣和毛衣都堆在被子上。迷迷糊糊睡了几个小时，天还没亮，屋外又是鞭炮大作，吵得他再也睡不着了。

杜愚拥着被子，坐在床上发呆。之前他刚刚做了一个梦，梦见自己回家过节，正和父母一起包汤圆。这原本是个寻常的梦，放在大年初一的清晨，似乎有点别样的味道。他花了很长时间才意识到自己没有在家里，而是在北京，在北京一间供暖不足的冰冷的小屋里。在北京挣扎了那么多年，挣扎出来的现状是在大年夜被冻得睡不着觉，这是几年前无论如何也料想不到的。那时候他刚刚在那家卖猪肉的食品公司找到工作，觉得自己总算是在北京有了立足之地，有了改变命运的机会。但后来的事实证明，命运没有那么容易改变，杜愚在北京有立足之地，只不过是不断变化的立足之地，受房租的驱赶从一个地方转移到另一个更便宜的地方。

此前他住在群租房里，天天忍受着隔壁东北夫妇的吵闹和室友的鼾声，天天小心翼翼地算计着吃喝用度以免下一季度连每个月三百块的房租都交不出来。但一个月前，他塞在衣服里的四百块钱现金不见了，左找右找没找到，只能得出被盗的结论，这好比压垮骆驼背的最后一根稻草，让他决定无论如何也要搬家另换一个地方。

"你可以先到工作室住两个月，"工作室的人说，"正好有张空床，咱们可以一起先把文学脚本弄出来。"

这意味着能够节省两个月的房租，没准还能省一些饭钱，杜愚自然没有意见，反正他的行李很少，几乎是装在包里就能拎走，大不了两个月之后再搬一次。而工作室提前预付了三千块钱，也让杜愚的钱包又壮实了一点点。

所以总体而言，除了暖气不足之外，这个春节过得还算不错，忙忙碌碌的工作也有益于暂时忘掉烦心事。工作室的成员一共有四个，两个老成持重，剩下两个都比杜愚还年轻，但很显然他们比杜愚快活得多。

不只是他们，杜愚觉得似乎世上任何人都活得比他开心，很多时候他忍不住想，我这样强留在北京究竟图的是什么？这是一个找不到答案的问题。或者说，有一个很狡猾的答案：因为北京城在这里。北京城在这里，就是一种诱惑，让人们趋之若鹜地追寻而来。

春节结束后，杜愚编故事也愈发顺手，某些恋爱桥段让工作室的人都赞不绝口，由此证明没吃过猪肉不要紧，只要见过猪跑，也能把猪肉的香味想象得绘声绘色。

但整个故事仍然不是杜愚所喜欢的。除去男主角身边围绕的女性太多之外，杜愚最不喜欢的在于男主角身上的神性。如前所述，该男主角是天神转世，先天就揣着救苦救难的马克思主义精神来到人间，除了在女人堆中稍微有点夹缠不清之外，基本没有什么缺点。而且他的运气相当好，走到哪里总能遇到贵人相助，连被打下悬崖都和金庸小说的男主角相仿，打下去就能捡到点武功秘籍什么的。这样的故事写多了，越显得自己的真实生活是那么的悲惨，就越让人对人生失去信心。

所以从本质上来说，杜愚是一个悲观主义者，和大多数人不大一样。大多数人喜欢这样的男主角，就如同网络上盛行的许多网络小说一样，主人公都具备代入属性，可以让读者们很轻松地自我代入。众所周知我们的生活很不太平，上班被老板训，下班被老婆嫌，喝牛奶喝出三聚氰胺，吃鸡翅吃出苏丹红，走在人行横道上得防着七十码，还成天能收到中奖短信。这样的生活难免让人沮丧，所以人们才需要网络小说，才需要各种胡编乱造的电视剧。看着英俊潇洒风流倜傥的男主角们纵横四海美人在抱，可以让大多数读者把自己代入其中，于是在臆想中得到满足，暂时忘掉生活的压抑。

而杜愚不是这样的。杜愚看到这些英明神武的主角，会更加难过，更加失落，这是一种骨子里的悲观主义，完全无可救药。然而为了在北京活下去，他只能把自己的悲观主义深藏在心底，若无其事地继续为男主角增光添彩。做枪手有这样一种好处，那就是锻炼你的忍耐能力，杜愚过去单是读到这样的故事都要吐血，现在却可以成天编造类似的故事，而且越编越顺手。杜愚觉得，再写一两个这样的本子，他就将完全不知道什么叫作恶心，这大约就算是提升了一个境界吧。

杜愚在故事里写道："清晨的时候，太阳缓缓升起。赵无极站在悬崖边，看着眼前氤氲变化的云气。柳如烟悄无声息地来到他身后，替他披上一件外衣。赵无极反手握住柳如烟的手，柔声说：'一切都已经过去了，不会再有厮杀争斗，江湖终将恢复平静。'"

这时候故事已经发展到了后期，正是主人公取得一场大胜，以为大魔头已经被杀死的时刻。当然了，编故事的人知道，大魔头还没有死，即将东山再起带来最后一次最凶猛的反扑，其实观众也一定知道——四十集的电视剧，倘若三十三集的时候大魔头就已经挂掉了，后面还看个鸟啊。然而无论编剧还是观众，都一定喜欢那种一惊一乍的感觉，英雄以为胜利在握天下太平，但突然波澜横生，一切都得推倒重来，那是多么地刺激。

其实没人知道，杜愚还有点羡慕这种感觉，因为至少在失望之前还曾经有短暂的喜悦存在。对于杜愚而言，生活只有无穷无尽的失望和折腾，希望的苗头总是刚刚升起来就被掐灭。哪怕有一个虚假的希望，就好比故事里的英雄自以为已经把大魔头干掉了一样，能够让自己有片刻的快乐也好。但毕业后的这些年，杜愚从来没有感受到过快乐。他觉得自己总是疲于奔命地从一个地方赶往另一个地方，在北京这座巨大的迷宫里努力寻找着方向，却从来不知道自己要找什么样的方向。

当然了，人生的方向是一个太大的命题，甚至可能根本是个伪命题，有时候人们只需要做好手里一个一个的小命题就够了。杜愚心里再多的忧郁，手上干活也没有放松，三月份的时候，基本上把文学脚本做出来了，拿到了第二期款项，有五千块钱，也就是说，前后加起来他已经从工作室拿到了八千块钱，根据合同，对方还应该付他两万。

当时杜愚并不知道日后他那两万块钱没法拿到手了，他只是算计了一下手头有的钱，搬离了工作室——毕竟在那里住着相当别扭——在传说中的"大唐"租了一间便宜的小单间，此前陈非曾经劝他，千万不要去大唐那样的地方居住，但现在杜愚并没有太多选择了，除非他真的决定离开北京。

刚需是一种最可怕的身份

鞭炮声在过年的七天中响个不停，让陈非不胜其烦，好在春节终于有过去的时候。人们在度过了比平时更加劳累的七天后，又得强打起精神去上班。这是一种古怪的循环，人们总在盼望长假，但长假总让人感觉更累，于是又开始盼望新一轮的长假。

长假刚完复工的时候，人们难免感觉蔫蔫的，陈非就很蔫，玩游戏都没兴趣，一直对着眼前展会管理系统的界面发了半天呆。午饭后他想，不行，不能这样，该为了房子而干活了，于是开始打高尔夫球展的电话。

工作开始越来越忙，四月初有公司另一个重头展会：花卉园艺展，五月份还要带团去一趟德国纽伦堡，参加一个宠物用品展。陈非只好利用白天的时间尽量多打电话多发传真，下班后加班处理回复国际邮件、分配摊位、制订出国行程、安排展品运输、联系地接、分配宾馆房间等等杂事，每天都要八九点钟才能回家，甚至周末也很难得到空闲。苏小麦对此表示理解，而陈非在一团乱麻的忙碌中，也顾不得为了婚姻啊房子啊什么的去发愁了。陈非以为，这是他上班多年来头一次意识到工作忙的好处，可以把大脑全部占满，把烦心事挤到角落里去。

北京城的三四月是一年中气温最适宜的时候，但那绝不意味着气候也最适宜，因为那时候有著名的北京特产沙尘暴存在，有诗云：京城无处不飞沙。沙尘暴刮起的时候，天空就像是一盆搅和着黄泥的盆汤，映得路人一张张脸都是焦黄的。那时候刮着凶悍的大风，每一寸空气里都铺满沙粒，人们走在这样的风中，好像在迎接沙浴，回到家里，全身抖几下，脚底下就是一个小沙堆。

这种时刻谁都不愿意出门，但不出门不可能，所以所有的人都在进行沙浴，陈非也不例外。在沙尘暴刮得最紧的那天下午，他不得不出门去往德国使馆，替他的客户取签证。老罗正好手里有一个加拿大展会，也需要取签证，就委托陈非一并代理。这也是老罗的风格，很善于搭顺风车托人办事，尤其在有沙尘暴有雨有雪的时候。

陈非也不计较，出门打上车直奔使馆区。一切都还算顺利，签证都拿下来了，陈非拎着包走出加拿大使馆，忽然听到有人骂街。抬头一看，昏黄的空气中，一条大汉正站在加拿大使馆门口，指天咒日高声怒喝，其声势让陈非恍惚间想起了航院门口的东门大汉。

"Fuck Canada！ Fuck Canada！ Fuck Canada！"此大汉一连声地用英语怒骂道：我操加拿大！陈非不觉有了兴趣，心想究竟是什么深仇大恨让该大汉对加拿大发出如此威胁。

"哦，那哥们两口子移民加拿大好几年了，最近媳妇儿要生了，想要办个旅游签证，把爹娘接到加拿大住几个月，伺候完月子老两口就回中国，"一个在旁边看热闹的人告诉陈非，"结果被拒签了，人家觉得他爹娘有移民倾向。这不，刚被拒了出来，火气大着呢。"

"Fuck Canada！ Fuck you all！"陈非觉得现在这大汉的嘴里一定填满了黄沙，但他还是在不管不顾地继续咒骂着。守在门口的武警连看都懒得看他一眼，似乎对此类事件早已司空见惯。

陈非同情地耸耸肩，伸手招了一辆出租车，把大汉的骂声抛在身后。

路上他想起大汉那副恨不能把加拿大生吞活剥了的表情就忍不住想笑，但过了一会儿他又觉得笑不出来了。他想起之前和苏小麦的一次讨论。

那一次是老宋的儿子满月。老宋家庭观念重，在老同学里是第一个结婚的，也是第一个生产出后代的，于是邀请同学们去喝满月酒。陈非带着苏小麦去了，见到老宋那张嘴始终裂开在笑，眼里看着自己的大胖儿子，说话都魂不守舍。

"老宋再笑下去，下巴就要脱臼了！"胡二悄声对陈非说，两人一起坏笑。

"你们两个王八蛋又在偷偷编派我什么呢？"老宋大声说，嘴上的笑容仍旧没有变。

"你可不能冤枉好人！"陈非抗议说，"我们正在谈论美国大选的严肃政治话题，谁有闲工夫去编派你这种无足轻重的底层市民。”

“蒙谁也蒙不了我！”老宋一挥手，“你们俩在大学就是出了名的不是东西，只要你们凑到一块，王八看绿豆，准没好事！”

“好吧，我说我说，”胡二举起双手，“我们是在感慨人生呢。”

“感慨什么人生？对你们饱食终日只会造大粪的堕落生命感到厌倦了？”老宋问。

“感慨你一个大好青年，终于陷入家庭的泥潭里不能自拔了，”胡二正色说，“从此你的人生将发生翻天覆地的改变，你将不再是你生活的中心，而必须要让位给他人。你将失去你的自由，被紧紧捆绑在尿布、奶瓶、作业本和学费上。”

老宋嘻嘻一笑，低下头看着他正在吮吸自己手指的胖儿子，“你说的这些我早就想到过了，但是想通了我才会那么做的。我不必做什么生活的中心了，因为我的生命通过另一种方式延续下去了。”

说这番话的时候，老宋的眼睛里闪着泪光，苏小麦在一旁看得深受感动，也忍不住擦了擦眼角。回去的路上，苏小麦好长时间静默着不说话，让陈非觉得很奇怪，走出地铁口的时候，她忽然蹦起来说：“以后我们也要有一个孩子。”

这话把陈非吓坏了，“喂，你自己都是孩子好不好？怎么想到那么远的事情去了？”

“我知道我想得很远，我们还没有结婚，连自己的房子都还没有……但我就是忍不住要想一想！”苏小麦噘着嘴说，“看老宋的那个样子，我忽然觉得你们这一帮人只有他才长大了，剩下的都只是小孩子。”

陈非哭笑不得，但看着苏小麦一脸的憧憬，知道她说的是真心话。从生理学角度来说，女人对孕育后代的渴望或许是由于黄体酮作怪，但老宋那一脸洋溢的幸福的确令人触动很大。然而生个孩子这种事，在陈非的心里实在是太过遥远，或者说确切一点，想都不敢想。那时候太后的压力还没有那么大，陈非正觉得自己的生活平稳有序，上班下班吃饭睡觉，周末和苏小麦聚在一起，有事没事和朋友一起喝点小酒，每年缓慢地攒一些钱，其他不必考虑太多。

但如果添个孩子就大不一样了。如果多了一个孩子，生活将会变成如下模样：两个人自己租一套两居，哪怕找到再便宜的房子，也得几千块钱，然后把陈非的老娘从老家接过来看孩子。两人下班之后不再有任何娱乐，急匆匆地往家赶，一边听着老娘的抱怨一边帮忙换尿不湿，陈非喜爱的朋友聚会将不复存在。两人也不敢再有多余的花销，每一分钱都得劈成两半花，用以奶粉钱、尿布钱以及即将来到的幼儿园的费用。苏小麦不用再计划旅游，陈非不用再计划更换电脑，所有的计划都将围绕着孩子进行，甚至于十八年后的大学学费你都得考虑在内——这年头读个大学就像在吸血。

更致命的在于，买房将变得更加不可能，偏偏孩子又是买房的推动器。有了孩子，你不可能再像过去那样拎个包就轻轻松松搬家了，而为了孩子受教育的稳定，更是不能轻易搬家，没有自己的房子实在太难熬。想到这些，陈非觉得呱呱坠地的根本不是孩子，而是黑洞，无底的黑洞。

而这时候陈非也意识到了苏小麦年龄不断增长的可怕：如果不尽早生一个孩子，她就将成为高龄产妇，出现意外的几率很高。但是看现在的形势，哪儿有多余的钱、多余的精力去照料孩子？

这些不断冒出来的念头让陈非的心情重新归于恶劣，倒是和车窗外一片灰黄色的天空十分相配。陈非甚至想到，其实太后的威逼也并不是没有道理的，她毕竟还是在为苏小麦考虑。也许陈非并没有错，苏小麦也并没有错，但这桩恋情本身就是错误的。陈非应该像王小骚那样娶一个家里有房的北京姑娘，苏小麦应该嫁给一个老宋那样的北京土著，资源配置就合理了，也不会有那么多麻烦纠纷了。

陈非有些惶恐地发现，分手这个念头在头脑里出现的频率越来越高，也越来越清晰，刚开始还只是一点点模模糊糊的念想，现在却好像有无数个清晰的声音一直在耳旁吵吵："别坚持了，分手吧。"

分个屁！陈非恶狠狠地拍拍自己的脑袋，老子偏要拼下去。

回到公司，陈非更加玩命地打骚扰电话，发骚扰传真，也不知道有多少家高尔夫生产企业被他骚扰过。不过总算成效不错，花卉园艺展到来的时候，已经有五家客户上钩了，其中两家订了标准摊位。虽然这仍然没能达到陈非的预期，但好歹能保证一定的利润，没有白干。他估计到最后能拉到七八家客户，运气好的话也许能有十家，能够帮助他在买房的道路上增添几个平方。

不过打了几天电话后，陈非被迫暂时把这个项目放一放，因为花卉园艺展开幕了。作为处里为数不多的年轻人，他又得到展馆里去蹲五天，每天拿两百块钱补助，累积起来为他的平方数换算添砖加瓦，聊胜于无。

花卉园艺展仍然是一个赚钱不多的项目，但却比公司的任何一个其他展会都显得热闹。老百姓肯定对什么包装机械之类的玩意儿不感兴趣，但都喜欢看花。花卉园艺展也借此降低门票价格，以便吸引大批老百姓进去观看，至少可以显得人气旺，虽然其中专业观众的人数并不多，还害得展商们不能随便打牌或睡觉——人多了需要防盗。

有展会的地方就有小偷云集，慢慢形成了专偷展会的产业。这样的小偷往往十多人或几十人抱成团，轮番出击，令人防不胜防。他们通常从一个展会布展的时候就开始想方设法冒充布展工人混进展馆，伺机偷走展商的展商证，这样在开展之后就能凭借展商证一次次混进去。公司过去的展会还算好，观众太少，场面太冷清，小偷想要下手很难，花卉展却是人山人海，小偷们广阔天地大有作为。

开展之前，陈非就抱着打印好的通知跑遍整个展馆，给每一家展商都发一张，中心内容就是防盗，然而似乎收效甚微。头一天开馆，就有三家展商的笔记本电脑、照相机之类的贵重物品被盗。展商们丢了东西很郁闷，又无处撒气，只能把气撒到陈非身上，抱怨组织方安保不得力，陈非微笑着听完抱怨，微笑着致歉，回过头从牙缝里挤出几个字：傻逼！早晚连人都要丢！

展会的安保措施是这样的，有几十个保安分布在大门口、展馆门口、重要通道口等。他们抄着手站在那里，身子不住地东晃西晃，没人注意的时候他们能站在原地睡着，如果有人给他们提供桌子和椅子，他们就会顺理成章地摆张桌子打麻将——除此之外他们基本什么都不干。保安们站岗的时候，只要有人手里拿着展商证或是门票晃一晃，他们就会把人放进去，哪怕这个人的脸上就写着"小偷"两个字。

此外还有警察叔叔，那也是每次展会必备的安全保障，他们除了偶尔到展馆里逛一圈之外，干得最多的事情就是坐在有空调的屋子里喝茶。

陈非一开始对此很恼火，经历的展会多了，倒也习惯成麻木了。保安们一个月就拿那么点钱，指望他们奋不顾身去抓贼很不现实；至于警察叔叔们，无论怎样指望他们都很不现实。所以到了最后，能指望的只有自己了。

从上一届花卉展开始，陈非就不怎么在门口坐得住，而总是在展馆里不停地转悠，见到可疑人等就要跟在身后，期望能抓住一个现行的。遗憾的是，陈非的块头太醒目，只要不放在篮球队里，在哪里都很扎眼。小偷们也不是笨蛋，见到陈非出现就坚决不下手，陈非一走开才动手行窃。陈非走了五天，轻了两公斤，脚底磨出几个泡，小偷一个没逮着，展商的抱怨照旧收了一堆。

所以这一届他有点听天由命的感觉，也不想到展馆里去做减肥散步了——实在很累。他只是端坐在门口，有事进展馆遛一圈，无事就坐在门口和请来帮忙的女大学生们闲聊。如前所述，比较傻的女大学生都会觉得陈非这样的白骨精——白领、骨干、精英之意——实乃人才，对他颇多敬佩。

　　和女大学生们聊天的时候，陈非才觉得自己还没有老。他在办公室虽然一向与人为善，但同事的年龄普遍比他大十岁以上，很难找到什么共同感兴趣的话题——除了荤段子。倒是这些二十岁上下的女大学生和一路奔三的陈非颇能找到些谈资，无论是挖苦一下学校里的老师，还是评论一下当前流行的选秀节目，讨论讨论各自在追的美剧，都能聊到一块儿去。女大学生们照例对陈非表示仰慕，陈非只能苦笑着接受，抬头看看，太后的达摩克利斯之剑仍然悬在头顶颤颤巍巍。

　　两天过后，小偷们发现陈非不去管他们了，于是变得越发嚣张起来。他们令人不可思议地弄到了一些门票，就堵在门口，以更加低廉的价格出售，造福人民大众。陈非细细数了数门票的去向，除了自己带来卖的之外，向相关企业零零散散赠送了一些，还有一部分是给了展馆的人——人情票么，不给不好。现在看来，唯一可能出现疏漏的就是这部分给展馆的人情票，但陈非又绝不能去盘问展馆方面。所谓现官不如现管，得罪了展馆绝对没有好果子吃，场馆费涨价、水电费乱收、找借口东扣一笔钱西罚一笔款，这些都绝对是做得出来的。没办法，只能把哑巴亏咽到肚子里，眼瞅着小偷团伙在大门口得意洋洋，陈非生了一肚子闷气。女大学生们不明所以，惊诧于保安和警察叔叔都不去抓贼，陈非只能摇头耸肩，说不出话来。

到了第五天下午，前来看展会的普通市民人数达到了高潮，因为在最后一天里，展商们的展品被允许出售，以免他们再费力把那些快要蔫掉的花草运回去。所以在这一天下午，有经验的市民蜂拥而至，想要买几盆便宜花。

陈非口干舌燥，在展馆门口努力维持着秩序，以防市民们把大门挤坏了。这时候他注意到那群小偷又混入了人群中，一边兜售低价门票，一边寻找机会偷钱包。他叹了口气，走出大门，小偷们的头儿就站在那里：一个头发已经全白了的驼背老头。在过去的若干次展会里陈非都见过他，每一回都是他在背后指挥着小偷群的行动。

"你要是年轻个几十岁，老子就揍扁了你。"陈非对老头说。

老头一咧嘴，得意地一笑，"小伙子，反正又没拿你的东西，那么认真干什么？大家都是出门讨生活的，睁一只眼闭一只眼让过去就得了。再说谁揍谁啊，你那些吃白饭的保安敢和我的小子们过招么？"

"这么大年纪了，净干这种缺德事，你也不怕早死……"陈非摇摇头。他确实拿这些小偷毫无办法，只能在嘴上出出气了。

老头丝毫没有生气，"这种话我听得太多啦，你看我现在还活得好好的，今年连糖尿病都好了，生命在于运动嘛。"

陈非继续摇头，走了回去，和几个小偷擦肩而过。小偷们脸上都笑嘻嘻的，好似在说："拿我们没办法吧？不服过来咬我啊！"

陈非倒真的想咬，可惜自己不是一条狂犬，能把狂犬病毒注射到这帮孙子体内去。最后他只能自己像孙子一样，灰溜溜地回去。

好容易熬到了闭馆的时候，参观者都回去了，展商们开始收拾东西准备撤退，小偷们眼见没什么生意剩下，也都跟着带头大哥走掉了。

陈非长长出了口气，把手里的矿泉水咕嘟嘟喝掉半瓶，觉得这五天总算是拖拖拉拉拖完了，只要等待摊位都拆掉，展商们撤退完毕，就没什么事了。但事情偏偏在这时候找上了他，一个展商往外搬东西的时候没带展商证，被门口的保安拦了下来。该展商正是此前在展馆里丢了笔记本电脑的那位，原本就对展会安保不力大有怨言，此刻被保安拦下来，终于爆发了。

"你们这帮他妈的干吃白饭的保安，小偷抓不住，就知道找我们麻烦！"展商大骂道，"老子就是没带证件，丢了，老子还偏要出去，怎么着吧？"

他嘴里骂着，手上也不闲着，伸手对保安推推搡搡，跟在他身边的两名同事也一起帮忙，三人合力，把保安推了个屁股墩。保安跳起来，大吼一声："把兄弟们都叫过来！"

真他妈活见鬼了，陈非想，这帮保安在小偷面前什么都不敢做，面对着展商倒是杀气十足，这叫什么事？展商要是

168

被打了，那可是大事，他慌忙上前，死活把被推的保安拦住。

"大哥，千万别冲动，给个面子！"陈非嘴里乱叫，"别动手，算了吧！"

一般劝架人最喜欢说的一句话就是"算了吧"，但事实上，要是真有那么容易"算了吧"，架也打不起来了。另一个事实是，不想打架的人，就算身边没人说这句话，自己也会算了的，而真想打架的人是绝对拦不住的。

眼前这个保安就有点拦不住的架势，好在陈非身躯肥胖，勉强能把他和身后咋咋呼呼的展商隔开。没想到的是，就在这时候，另外几个保安跑步过来了，那是被推倒的保安所呼唤的"兄弟们"。兄弟们来了之后，声势立即占优，轮到三名展商处于劣势了。一名展商不管三七二十一，顺手从地上捡起一个他准备运走的空花盆，朝着保安砸将过去。但他的手法显然不准，没有砸中保安，无巧不巧正中陈非的后脑勺。陈非当时背对着他，拼死拦住身前的保安，完全没想到会挨这么一记，脑子里嗡的一声，眼前一黑，像一摊烂泥一样糊在地上，昏过去了。

漂着，还是回家？

苏小麦对陈非公司主办与参加的一切展会都持厌恶态度，这可以理解。每当有展会到来时，陈非就忙得喘不过气来，周末或者长假经常用来加班，老板还一毛不拔不给加班费，真是岂有此理。而每次出展之后，陈非就像刚跑了马拉松，满脸都写着"累"字，还得管抓小偷。

现在她又有了痛恨这些展会的新的理由：陈非不只要管抓小偷，还要去制止保安和展商打架；不只要制止保安和展商打架，自己还要挨一花盆。陈非后脑勺被砍出了一条伤口，缝了十三针，贴了一块大大的纱布，从里面隐隐透出药味和血腥味，真是让人触目惊心。

"没关系，你别担心，"陈非趴在床上——不能躺，不然后脑勺疼，和割了痔疮屁股疼道理差不多——有气无力地说，"要革命就会有牺牲，后脑勺开花的事情是经常发生的。"

"那个误伤你的王八蛋呢？哪儿去了？"苏小麦不依不饶。

陈非勉强咧嘴一笑："得了吧，你还要买凶报仇不成？人家已经连夜开车回去了，倒是给我负担了全部的医药费，还硬塞给我两千块钱做营养费。其实就是个小口子，养几天就没事儿了。"

"没事儿才怪！"苏小麦相当恼火，"要不我给他两千块钱，也砍他一花盆？"

陈非这算是因公受伤，上头尤其对他成功保护了展商表示由衷的满意，因为每一个展商都是公司的宝贵财富，得罪谁也不能得罪展商，相比之下，陈非的后脑勺无足轻重。陈非拦住了保安，就算维护了公司利益，老板批了他半个月假在家休养。

但他在家里待不住，一闭上眼，太后和蔼慈祥的音容笑貌就在眼前晃荡，让他夜不能寐。现在他的身份是一个伤员，但更重要的在于，是一个打算买房的刚需。刚需是一种最最可怕的身份，可以把人的一切合法权利剥夺得七七八八，包括享用美食的权利、购买华服的权利、参加聚会的权利、被砍了后脑勺在家休养半个月的权利等。现在留给高尔夫展的招商时间已经不多了，接下来还有纽伦堡宠物展等等破烂事情要完成，时间更紧。陈非在家里休息了四天，实在觉得坐不住了，还是回到了办公室。同事们齐夸他爱岗敬业、精力过人。

四月下旬的时候，总公司一般都会举办一次迎五一攀登长城比赛，其实也不算什么比赛，因为凡是最终到达了终点的人都能得到一份一模一样的奖品，第一名和最后一名待遇同等。这份奖品有时候是一床踏花被，有时候是一个电动搅拌器，有时候是一套餐具，视总公司的心情而定。

陈非太胖，虽然要攀登长城也没有太大的问题——总公司设定的起点和终点并不算太难——但爬完就会出一身大汗，好像刚从水里捞出来的一样，所以他每次都只是跟车到达长城，自己随意地在附近溜达溜达，呼吸一下郊外的新鲜空气，等到攀登结束混一顿乡村风味的午餐。他尤其喜欢吃香椿炒的柴鸡蛋，觉得天底下的鸡蛋以这种做法最为鲜美。

这一回陈非本来不想去，想留在办公室里打骚扰电话，但室友李萌劝他去换换空气。李萌和苏小麦一样充满活力，每年都去爬长城抱点东西回家。

"最近你的脸色和腊肉一样难看了，"李萌说，"爱岗敬业是好事，别把命搭进去。去换换空气吧。你上次健身都是什么时候了？"

李萌这话说得没错。陈非一向以自己身体健康百病不生而自豪，虽然身躯肥胖一点，但不抽烟，除工作场合之外很少喝酒，尽管有点神经衰弱，但每晚塞上耳塞早睡还是能保证睡眠，出国回国倒时差的本事更是令同事们羡慕。不过最近一段时间，陈非明显觉得精力有些不够用，早上起床时觉得浑身困乏，晚上却不论怎么早睡都睡不着。他上班时越来越爱呵欠连天，近期还好几次在做预算时弄错了最简单的心算，好在事后检查出来了。花卉展的时候，他没有像往常那样满场奔走，除了觉得这样抓不住贼之外，也有觉得体力不济的因素。

说到健身，那可更是没边没影，陈非努力回溯，发现可以一直追忆到大学时代。那时候为了通过航院毕业时必考的十二分钟跑，他在操场绕圈跑了一个多月，最后惊险过关。在此之后，除了夏天陪苏小麦游泳之外，似乎再也找不到和锻炼有关的章节，何况陈非的游泳基本等同于泡水，往池子里一扎就不动了。

"你得运动运动了，"李萌又说，"就你现在这堆肉山，三十岁以后小心浑身是病，高血脂、高血压、脂肪肝……"

"你说得对，"陈非说，"那我还是去爬长城吧，总比脂肪肝强。"

爬长城那天天气不错，微微有点太阳，微微有点风，气温不高不低。陈非的公司照例是一半人都不去，兼任工会主席的办公室主任催了一会儿，没见成效，嘟嘟囔囔地回到他的办公室，原来他也不去。陈非来到电梯门口，发现老罗已经在那儿等电梯了，忍不住直想笑。老罗是一定会去参加此类项目的，因为最后能拿到奖品。陈非时常想，老罗的家里会是什么样子？会不会像一间杂货铺一样，一切便宜的东西都能找得到？

陈非跟着总公司的大巴一路来到长城脚下。照例由总公司老总举着喇叭先说一通鼓励的话，但由于喇叭音质不好，谁都没能听清楚他到底说了些什么，不过最后那一下挥臂的动作倒是含义明确。老总的手臂放下，人群开始一窝蜂向着上方攀登。

陈非跟在人群中央，不慌不忙向上攀爬，他的年龄在总公司范围内也算是年轻的，因为这家国企每年招新人都并不多，更多是系统内部的老职工调动来调动去。想当年陈非刚刚到公司报道的时候，还只有二十二岁，一下子把全处平均年龄往下拉了好多。

年轻意味着什么？在一般人的观念里，年轻似乎代表着健康和活力，但眼下看看正在长城上攀登的陈非，会让人觉得该观念也有值得商榷的地方。陈非走得并不快，一般晨练的老太太都能赶上他的脚步，但他走到不到一半的路程就已经气喘吁吁，腿上的肌肉一阵阵酸疼，不得不停下来休息一会儿。而在他的身边，那些年纪比他大的员工们表情轻松地继续向上，嘴里有说有笑，半点也不见累。至于老罗，已经冲到前头去了，据说在陈非来到公司之前，老罗有一次爬长城走得太慢了，恰逢那一次奖品数目计算有误，最后到达终点时，奖品已经被瓜分一空，从此以后，老罗爬长城绝不留力，把"比赛"二字的精神贯彻到淋漓尽致。

陈非用手背擦了擦额头上的汗水，这时候一张干净的纸巾递到他眼前，抬头一看，是35C的武宁。自从那次在办公室把陈非臭骂了一通之后，武宁大概自觉不好意思，对陈非倒是始终客客气气的，虽然两人都明白，当初那种毫无芥蒂的友谊是不会再回来了。

"谢谢。"陈非喘着气，在脑门上一阵擦拭，纸巾立马湿透了。武宁一笑，又递给他一张，"加油啊！你看连我都比你快了！"

武宁飘然而去，陈非心想：是啊，你胸前负担那么重，居然还比我快，真是岂有此理。想到这里，他觉得自己尚有余勇可贾，大喘了一口气，继续向上。

北京城的空气质量不算太好，偶尔雨后能在城里望见远处的西山，就算是空气极干净的时候，但站在长城上极目远眺，可以看到很多漂亮的风景，和远方城市的轮廓。然而陈非完全顾不上。和身边那些边走边聊边欣赏风景边找山民买新鲜山枣的人不同，陈非必须贯注大量的精力在自己的脚下，他的衣服早已经湿透，腿酸得几乎要失去知觉，肋下也一阵阵的疼痛。再走了一段路程，一个头发花白的老头超过了他，居然是公司外事办即将退休的老莫，年龄是陈非的两倍有余。

太伤自尊了，陈非想着。他从来没有意识到自己的体力竟然会有那么弱，不敢相信这具肥胖的躯体当年曾经跑过了每学期的一千米跑，跑过了毕业时的十二分钟跑测试，还能够在班级篮球赛缺人的时候上场顶一会儿。虽然他的篮球技术接近于零，但是有身高有体重，还有缠着对方中锋不断肉搏抢位的气势。但看现在的体力，爬个长城都近乎累瘫，恐怕女篮队的中锋都能轻易甩掉他。毕业不过几年的时间，陈非从壮汉变成了虚胖子，而这一切改变都在不经意间发生，等到发现时，已经只剩下在长城上嗟叹的命了。

陈非慢慢挪动着步子走向终点，回顾着自己几年来的生活。上班、下班、加班占据了绝大部分的时间，下班后的劳累让他完全没有锻炼的心情。而到了周末，又是苏小麦时间，平日里偶尔有点空闲也都交给了网游和聚会。在此期间，他始终都觉得他还年轻，就像早上四点钟的太阳，可以随意工作加班，随意约会，随意坐在电脑前消磨时光。现在挺着大肚腩在长城上艰难移动，才发现其实苍老来得很快，虽然人们总是很难意识到老之将至，但事实上，它来得确实快极了。

这一次公司发的奖品是电吹风，老罗拿到手时没有笑容，陈非估计他猜不到公司会发电吹风，于是已经自己掏钱买了，造成了可悲的重复建设。公司发的奖品历来如此，表面上看起来都很实用，但正因为太实用了，大家家里肯定都已经备着了，于是只能放在储藏柜里积灰。

不要紧的，老罗。陈非在心里给老罗打气，你的电吹风迟早有坏的时候，不行还能传给你儿子用。

说到老罗，还有另外一件事值得一提，那就是老罗的养生有术。老罗抠门，抠门的人往往还具备另一种伴生的素质，那就是怕死。老罗买的房子离公司不算远，走路大约二三十分钟，于是他风雨无阻每天都拎着手提电脑和公文包走路上下班，正好还能节省车费。公司每天管一顿午饭，食堂在大楼的地下一层，老罗坐电梯下去吃饭，吃完就会慢吞吞爬上楼以便饭后消化。

旁人午休时会聊天、打牌、上网，老罗则会躲进杂物间，拿一个板凳放脚，睡上一个小时。到了下午三点半，老罗还会准时站起身来，不顾同事们的嗤笑，认真做一套颈椎保健操。在和武宁的关系慢慢冷淡之前，武宁曾对陈非说，老罗注定天地同寿，活到北京城毁灭那一天。

当时陈非乐不可支，忙着把此事编成段子传给他人，现在回想起来，这分明就是果戈理的一句名言：你们笑什么？

你们笑你们自己。如今陈非觉得老罗才是真正的聪明人，无论旁人如何嘲笑挖苦，房子是自己的，天地同寿也是自己的，不因旁人编派的小段子而转移。而陈非这种自以为聪明自以为潇洒的货色，才是蠢材中的蠢材，只配浑身大汗四肢发软站在长城上，被风吹得瑟瑟发抖。

聊以自慰的是，总算度过了强身健体的一天。陈非晚上回到家里，腰酸背疼，躺在床上长吁短叹。李萌听到声音过来看他，捂着嘴直乐，"今天我看到你了，落在好后头，老头都比你爬得快。"

陈非有气无力地摇摇头，"我也老了，不能和你们年轻人比。我倒真是奇怪了，你和苏小麦成天哪儿来那么精力无限，就跟磕了摇头丸似的。"

"苏小麦我不知道，我嘛……心思没你那么重，当然精神好了。"李萌这话有点答非所问，但陈非更觉得她是在暗示些什么。他忍不住问："你为什么心思不重？你没什么发愁的事情么？"

"愁什么？我本来就不打算长留北京，迟早要回家去的。"李萌说。

"可是你已经在北京待了那么多年了，"陈非说，"而且这年头弄到一个北京户口比抢银行还难，你就不觉得可惜？"

"没什么可惜的，"李萌耸耸肩，"既然我都不准备留在这儿了，户口拿在手里又有什么用？"

"我还是不大明白，"陈非说，"我觉得你挺适应北京的。"

"我问你，如果让你出差住宾馆，你是不是很习惯？"

李萌问。

"当然习惯了，我每年出那么多趟差，什么旅馆没住过？"陈非说。

"但如果一年三百六十五天让你天天住旅馆呢？"李萌再问。

"那恐怕就有点难受了，"陈非琢磨着李萌话里的意思，"你的意思是说，北京只是你的旅馆，不是你的家。"

李萌点点头，"就是这个意思。现在我挺适应的，是因为我压根儿没把北京当成我的家，我就是个旅人，住在宾馆里的旅人，所以没什么觉得难受的。迟早有一天我会回家，那时候才是真正生活的开始。"

李萌这话不是瞎说。和喜欢囤积物件的苏小麦相比，李萌的家什少得可怜，甚至比身为男性的陈非还要少。如果她要搬家，那是真正的拎起包就能走，完全不需要劳动搬家公司。现在这一点很好理解了：你住在宾馆里的时候，也不会有什么心思去买太多东西，不然你走的时候岂不是要累死。

由此可见，李萌是坚定的，毫不动摇的，对于自己的未来已经有了无比清晰的决断。她没有被北京所诱惑，或者说，她坚决地抵御住了北京的诱惑，没有把自己的生命硬性汇入北京汹涌奔流的航道中。相比起陈非、胡二、杜愚之流，李萌是聪慧的、明智的。

"你真是个聪明人啊！"陈非叹息一声，"为什么我就从来没有想通过呢？"

"人各有志而已，无所谓对错，"李萌耸耸肩，"我不把北京当作未来的目标，但我绝不会劝说你也这样做。"

这又是李萌的另一个优点，该说的话一定要说，不该说的却绝不多嘴。表面上都是嘻嘻哈哈没心没肺，李萌却比苏小麦成熟许多。陈非很遗憾地摇摇头，"你和杜愚没成真是太可惜了。要是你能多劝劝他，他也不会那么死心眼。"

"杜愚？劝不回头的，"李萌跟着摇摇头，"杜愚和你我不一样，我们俩如果在北京混不下去了或者不想混下去了，大不了回老家，至少还是大城市，还有很多的机会，杜愚回老家的话，那就什么都没有了。混一个机关职工，每个月拿一千块钱，讨个本地老婆养个孩子，一辈子就那样了。他不会甘心的，北京对有些人来说是梦想，对他来说是一切。"

穷人是如何生活的

　　杜愚搬到了大唐。所谓大唐，是北京最著名的一个城中村，唐家岭。很多和杜愚一样穷甚至比他更穷的人都选择住在这里，当然也有一些比陈非还有钱的人也选择住在这里，理由都一样：这里便宜，还靠近上地和中关村。名义上说，这里也是北京不可分割的一部分。

　　胡二就曾在这里住过，由于这里不符合他心目中的学校氛围，终于搬走了，但他建议杜愚可以住到这里。杜愚听了他的话，在大唐找了个小小的单间，每个月房租四百块。如果只租床位，会便宜很多，但杜愚丢钱丢怕了，不再敢与别人分享同一个房间。

　　杜愚到大唐去看房的时候，刚从公交车上下来就打了个喷嚏，那是因为空气里布满了尘土。眼前是一条不算太宽的马路，路上车流滚滚，马路两旁密密麻麻堆积着店铺，天空中的电线纠缠得有如网兜，电线杆子上贴满了各种各样的广告，其中最多的就是房屋出租和求租；墙上也有类似的广告，被覆盖在广告下的是计划生育的标语。马路上十分肮脏，扔满了各种垃圾，行人们匆匆走过，对地上的脏污视若无睹。

后来杜愚才知道，这条路其实是大唐最拿得出手的主路，离开主路，那些歪歪斜斜七拐八拐的小街小胡同更加脏乱。他问了半天路才找到自己要看的房子，那是一幢六层楼高的公寓，里面住着几百号人，杜愚即将成为他们当中的一员。

杜愚抬起头，看着楼上的阳台上晾晒着的无数衣物，看着楼外堆积的乱糟糟的自行车，看着蚊蝇飞舞的垃圾桶，看着随风飘来充满异味的公共厕所，几乎想要扭头就走。如果扭头就走的话，或许杜愚就会选择回家，从而改写历史，后来的一系列事件都不会发生；但最后他并没有扭头就走，而是走进去看了房，交了钱，正式成为大唐公民，这说明杜愚仍然不相信自己的穷途末路，仍然对北京抱着最后的希望，即便除了大唐他已经别无去处。

大唐和天通苑近似的地方在于，两处都几乎是一个独立的王国，但档次上的差别十分明显。天通苑仍然带着浓郁的城市气息，而大唐充分体现出了村的混乱、村的无序、村的肮脏。但同样的，这里也具备村的便宜，而这一点正是杜愚最需要的。除了每个月十块钱的保护费——美其名曰"水费"——给得有点肉痛之外，从饮食到购物，从剃头到上网，无一处不体现出便宜的特质。杜愚住了半个月，除了公共厕所还是有些难以忍受之外，已经渐渐喜欢上了大唐。

也许这种喜欢也出自于近况的改善，这让杜愚觉得没准是大唐给他带来了好运。搬到大唐的第五天，杜愚去网吧上网，QQ上弹出一家推理杂志社的编辑给他的留言，说是最近在策划一套新生代大陆推理作家的作品集，其中就包含了杜愚的作品。她让杜愚尽快和她联系，商量选稿事宜。

杜愚看着这条信息，愣了好半天都没回过神来，最后他终于理解了它的含义：有人想要出他的书，不是枪手书，不是署着别人名字的书，而是将会印刷着"杜愚著"三个字的书。这一刻他已经顾不上去计算能拿多少版税了，他所能意识到的是：他终于可以有一本真正属于自己的书出版了。

前面说过，杜愚基本靠做枪手维持生活，而在"基本"之外，每年还是会有一些零散的稿费收入，这些收入大多来自于推理小说。这也是一桩怪有意思的事，杜愚在人前一说话就紧张，性子大体上可以算孤僻，偏偏爱写推理小说这种直指人心的东西，而且写得还不错，这让杜愚时常怀疑自己其实有双重人格。他每年都会写一些推理小说投到各地的推理杂志，换取一些千字八十或是千字一百的稿费，几年下来，也累积了十多万字了。我国的推理出版一向是墙外开花墙内不香，国外译作大体卖得不错，国内原创却市场惨淡，基本养不起职业作家。眼下杜愚能捞到机会出一本推理书籍，着实难得。

做了那么久的枪手，杜愚这是第一次觉得眼前看到了曙光，虽然这道曙光依然微茫。推理的出版形势仍旧不佳，就算出了这本书，也未必就意味着他能出第二本、第三本，但这仍旧让他得到了很大的鼓舞。在写出了那么多不能署名（他也没有脸署名）的枪手稿之后，他终于得到了证明自己的机会，这个机会让他感受到直充胸臆的快乐和解放感，让他在网吧里就差一点手舞足蹈地大喊出声。

离开网吧后，杜愚走进了路边一家麻辣烫小馆子，给自己涮了二十来个串作为奖励。他嘴里嚼着被辣椒油涂得红亮亮的鱼丸，一边辣得直抽凉气，一边想，是不是该我时来运转了呢？

时来运转的还不只是那本推理集子。推理小说不知什么时候能出，更不知道什么时候能拿到版税，为了赚钱，他接了一个新的枪手活计，为一位颇受争议的新冒出头的女歌手代写自传。该歌手通过某场被陈非蔑称为"大众卡拉OK"的选秀节目成名，因为在被淘汰之夜现场痛斥评委不公乃至于"完全不懂音乐"而成为焦点人物。娱乐公司看中了她这种善于吸引眼球的特质，同时也看中她面孔身材都不错，有炒红的潜质，不但签约包装，还要出本自传来哄抬人气。

如果说陈非是由于自命清高而看不上大众卡拉OK的话，杜愚就完全是因为缺乏娱乐细胞。他住在群租房里的时候，客厅里老有人抢电视，多半是因为有人想看球，有人想看选秀，矛盾激化不可调和，但这两者对于杜愚而言都毫无吸引力。在他看来，为自己的事情操心还忙不过来呢，为什么要为了一群千万富翁抢一个皮球的事情而激动到摔暖水瓶，或者为了一个完全不相干的选秀小女人出局而淌泪。而眼下，能不能理解已经不重要了，只要有钞票可拿，杜愚就得被迫去理解这些选秀。

过了几天，杜愚离开大唐进城，去和这位歌手以及歌手的经纪人碰头。这时候他才深切体会到了在大唐挤公交车是多么可怕，他估计旧社会饥民砸粮店抢米也不过如此，而抢米也只会有警察把人往外赶，不会像大唐那样，专门有一个老头负责把人往罐头一样的公交车里推。他立马觉得在大唐生活的人们都是那么地坚韧，拥有比蟑螂更加顽强的生命力和战斗意志。

挤下车的时候他已经有点晕头转向，好在对方如他所料迟到了，令他可以坐在咖啡馆里先清醒一下头脑。基本上，凡是杜愚和客户见面，对方没有不迟到的，这大概是因为杜愚显然是处于弱势的，对待弱势方不必过分客气。

喝光一杯冰咖啡之后，对方终于姗姗来迟。经纪人一屁股坐下来，连声说着抱歉，女歌手却基本没有什么反应，只是冷淡地向杜愚点了点头，连一句"你好"都省略掉了。

杜愚习以为常，和经纪人交谈起来。在此过程中他不断以推理小说家的眼光打量着女歌手。女歌手的确长得不错，虽然没有电视上看起来那么艳光四射，放在街头还是能保证相当的回头率。与此同时，她的神情总是冷冰冰的，呈现出拒人于千里之外的态势，在杜愚看来，这种姿态过于刻意，并非出自骄傲或者社交障碍，而是一种典型的自我保护的姿态。这让杜愚生起了一丝同情，可想而知女歌手走到今天也经历了诸多磨难。

经纪人和杜愚很快就谈妥了。经纪人将向杜愚提供女歌手的各种详细资料以及她口述的一些个人经历，杜愚要做的就是把它们组织成通俗流畅的文字，要有一点文采，但不能太有文采；要有一点女性的温柔味道，但又不能太女性化。

"我们之所以不找女性来写，而找了你，就是为了文字风格。根据我们的包装风格，她应该体现出相当程度的男性化倾向，太过小女人味儿的话，就失去了吸引公众注意的可能性。"经纪人如是说。

杜愚完全能理解这一点。他虽然并不看那些选秀节目，但很多通过选秀出来的人都走红了，名字出现在网络、报纸和电视上，不由得他不接受那些信息。这一类的选秀节目，基本出发点就是迎合大众，吸引大众的注意，所以越是风格特异的选手越容易走红。现在坐在对面的这位女歌手虽然面容姣好，也算不得什么羞花闭月的大美女，唱功也只是一般，没有进入十强就被淘汰了，但她一开口痛骂评委，关注度呼啦一声就上去了，网上有关她的种种消息层出不穷。她被淘汰前半红不黑，淘汰之后反而成为了焦点。

"我会尽力的，"杜愚点点头，"任何一种风格我都能模仿。"

他还有一句话藏在心里没说出来：这就是枪手最大的本事。

女歌手并没有给杜愚留下什么太好的印象，两天后经纪人发过来的资料也看得他连皱眉头。这不像是选秀女歌手的资料，倒像是北京市十大杰出青年的个人履历。按照这份履历，女歌手基本上就是从小扶老太太过马路长大收养流浪猫狗隔三差五去敬老院照顾孤寡老人的活雷锋，偶尔的一点点叛逆不羁也都全部控制在很可爱的范围内，好比雷锋叔叔给自己买块表一样。

这大概是娱乐圈的共性罢，杜愚想，虽然人人都知道那是一潭深不见底的污水，但每个身在圈中的人都会极力表现自己的清白无辜，好似身边都是泥水，唯有我才是淤泥里钻出来的那朵莲花。要是换了陈非，多半又要对着这份履历好好地尖酸刻薄一番，但杜愚不能这样做。他需要钱，需要把这本自传写出来赚钱，哪怕为此往女歌手脸上涂上几十层粉，那也不干他的事。

杜愚梳理着资料，很快对全书的写作有了基本轮廓。他决定塑造一个充满爱心而又坚强自信的女性角色，虽然这样的角色可能完全不符合真实的女歌手乃至于南辕北辙，但这种塑造肯定讨人喜欢。众所周知，这年头写书，说真话不是重要的，说读者爱听的话才是王道。

这时候已经是五月，大唐的街面上虽然一如既往地脏乱，但抬眼望去，已经有越来越多的女性充当起了流动的街景。杜愚工作累了的时候，坐在窗口看看楼下，偶尔能看到一两个赏心悦目的年轻女孩儿，就会觉得心情一畅。

这是向陈非学来的。当年在大学里参加军训的时候，每天吃完早饭后，陈非就会拿着一个夹了白糖的馒头坐在食堂门口，一边啃着馒头一边观赏过路的女生，遇到熟识的还会响亮地吹个口哨，直到被指导员警告了一顿才算作罢。陈非后来总结军训时说：航院女性资源之匮乏路人皆知，我陈非沦落到观赏航院女性的地步，可见军训多么摧残人性。

而大唐远没有到令人感觉沦落的地步。这里住的人虽然都没什么钱，但也并不缺少年轻漂亮的姑娘。这些姑娘现在在大唐住着便宜的违章搭建的出租屋，早晨到"包子西施"那里买两个肉包子，和杜愚这样的穷汉共同挤公交，没准明天就会在北影门口被相中，或者坐上某位富商的宝马绝尘而去——所以还是抓紧时间多看两眼好了。

　　杜愚也只能看看而已。从小到大，他只要和一个年轻姑娘单独相处，就容易犯暂时性失语症，症状严重程度和该姑娘的相貌成正比，也就是说，杜愚要谈恋爱，除非是和某几个在网络上被称之为"×姐"的红人。但杜愚又并不甘心如此，所以他只能一直单身着。中间陈非试图撮合过他和李萌，但他在李萌面前的失语症还是挺严重。除此之外，他基本没有其他这方面的经验。

　　但他的头脑是不甘寂寞的，每每趴在窗口往下看时，他都会调动起他的想象力，为每一个进入他视线的漂亮女性勾画一下她的过去。在这一过程中，他还糅合了推理小说中侦探相面识人的方法，最后所编织出来的情节总是丰富多彩。这些虚假而无根基的构想极有可能完全不符合事实——他猜想中的高考落榜生完全可能是清华毕业的，他猜想中单亲家庭成长的女孩完全可能有一双慈祥的父母——但他并不在乎这一点。猜想的过程本身就是一种享受。

　　忽然之间，杜愚脑子里有一道电光闪过，对于如何写作这本女歌手的自传，他有了主意。完全可以把自己观察并猜度女性的方法运用到这本书里来，也就是说，不管现实中的女歌手是什么样的，他要虚构出一个能令大众疯狂的角色。他要赋予这个角色大量讨人喜欢的特质，以及一些并不招人嫌，反而显得可爱的缺点，用自己头脑里创造出的"她"去取代真实的女歌手。

反正不过是假话成堆的一本书，杜愚想，不如把假话编得更漂亮。虽然本质上都是假话，但漂亮的假话至少还和窗外的漂亮姑娘一样，具有悦目的属性。

杜愚租住的这栋楼就像一座蜂巢，里面住满了来自外地的嗡嗡作响的年轻人，在他们当中，杜愚算是年纪比较大的，所以一直是最不合群的那一个。其他年轻人往往喜欢沿袭大学时代的习惯，四处串门，晚上和周末就时常会出现十室九空的场景，因为所有人都聚集到了唯一不空的那间房里，打牌、喝酒、聊天、看球。这是一种并不宽裕却也不乏惬意的生活，人们都还年轻，从来都认为自己现在拿着的薪水只是暂时的，而大唐也不过是通往成功途中一个值得纪念的跳板而已。每一个人都觉得，自己有朝一日迟早会离开大唐，住进干净宽敞的屋子，成为征服北京的胜利者。他们的确还年轻，还没有享受过真正的坎坷的滋味，眼前所见到的只有光明。

这让杜愚很是羡慕。他觉得对于人来说，没有什么比希望更加重要的了，而希望对于那些比他年轻的人们来说，仿佛头顶触手可及的红日，对自己而言却好像寒夜里遥远黯淡的星光，不知道什么时候才能抓得住。所以他并不是很喜欢去串门聊天，除了与生俱来的孤僻性格外，那些鲜活快乐的面孔让他感觉更加压抑。

　　这些都是杜愚开始写作女歌手自传之前的状态，开始这个活后，他也渐渐学会了串门。虽然还是不怎么肯说话，但他能够倾听，他仔细地听着从每一个女孩嘴里讲出来的故事，揣摩着她们的人生细节，并且开始想象，假如是我笔下的女歌手，她遇到这回事该怎么办，她遇到这个人该说些什么，她受到这样的欺侮后会不会回到家里默默流泪。当然也有可能她喜欢扔石子儿砸别人的窗户，喜欢在教室里摔别人的文具盒，喜欢找老师打小报告，但杜愚要把这样的可能性统统剔掉。他有一种感觉，虽然女歌手曾经活生生地坐在他的对面，对他爱理不理，他却仍然在创造着一个全新的女歌手，一个全新的生命。

从尼罗河给我带一把沙子就够了

　　陈非的后脑勺慢慢养好了，不必再包得像个恐怖分子，这让他十分欣慰，否则很可能在海关被扣下来。五月份到了，他需要带团去德国纽伦堡了，但这并不是他的业务。负责这个项目的同事胡大姐得了妇科病，切掉了子宫，需要静养很长时间，不适合带团出国，于是处长安排了陈非代替。陈非数遍全身上下，找不到什么地方可切除的，而后脑勺的伤势只称得上轻伤不下火线，只能接了下来。

　　这种事情陈非一向不大喜欢，因为项目不是他的，辛苦一趟也就能拿到五百欧元出国补助，但如果出国遇到什么状况，导致公款花多了一点，倒会引来项目人的抱怨。当然这只是陈非看问题的角度，许多人巴不得能捞到这样免费出国的机会。武宁一定就很羡慕这样的机会，但她的英语水平仅限于对着稿子念领导发言的翻译，真要交流则远远不够，所以这种机会永远轮不上她。

　　出国展会有无穷无尽的麻烦，光是展商通知就得发无数份：行程安排、旅馆安排、展品运输安排、签证资料通知、收费通知、出国须知……陈非在电话、电脑和传真机之间来回奔忙，唯恐漏掉了哪一个环节，忙得嘴角起泡。

关于出国展会的行程，一般而言都会包括展会部分和考察部分，而所谓的考察，其实就是拿着公家的款子去玩一趟——好容易出趟国，不玩白不玩。基于这一点，你可以很轻松地从行程表上判断出谁来自国企谁来自私企：私企大多都会选择省钱，只参展不考察；国企则一定要把公款花舒服。这次宠物用品展有二十多家展商，将近四十来号人，其中一半都选择了展会后的"考察"：埃及。

陈非另一点不喜欢带团出展的原因就在于还得领着一帮大爷去"考察"找乐。他觉得那应当是导游的活计，但大爷们不知为什么总喜欢拉着他一起。陈非是穷人，只有公司发的几百欧元零用，除了给苏小麦买点纪念品，剩下都情愿带回国换成人民币，但要陪着大爷们花差花差，不花钱不可能，花了又很肉痛。而公司一向的原则是客户就是上帝，他又不能拒绝。所以每次出国前他计划得很好，回国后欧元就所剩无几了。

临走前一天，苏小麦跑过来过夜，并且对他说："这次别给我买东西了，反正德国你都去过两次了。"

"可我第一次回来的时候，你还说我每去一次德国可以给你带一样不同的东西，"陈非说，"再说还要去埃及呢，上次你不是嫌给你带的圣甲虫太小了么？这回咱们换个大的。"

苏小麦大摇其头，"时代不同了，那会儿我们都还年轻呢。咱们尽量节省着点吧，几十欧元的玩意儿换成人民币也是好几百块呢。"

又来了，陈非觉得脑仁疼。他不想再把这个烦人的话题继续下去，打了个岔，早早入睡了。迷迷糊糊中，他听到苏小麦在他耳边说："从尼罗河给我带一把沙子回来吧，要那个就足够了。"

这一次展商绝大部分来自于南方，按照惯例，当展商大部分来自南方时，出发地会选择在上海，以方便展商们聚集。所以陈非需要先飞上海，再从上海飞荷兰阿姆斯特丹，由阿姆斯特丹转机直飞纽伦堡。这之后他将再飞阿姆斯特丹，由阿姆斯特丹转机去埃及；从埃及回来还得第三次经过阿姆斯特丹。这样的行程，好处在于节省经费，因为荷兰航空的机票便宜，坏处在于不停折腾转机，铁打的人也得累傻了。

陈非提前一天领好了路上备用的五千欧元公款和一些旅行支票，很小心地装在随身的书包里。从大学离开多年，他还是很习惯挎着这个学生包而不是手拿公文包，因为公文包不能背，拿在手里很麻烦。此外这个书包里有两层暗包，外面压上一些东西，防盗功能不错。

"背书包好，显得年轻，这叫作留住青春不放。"苏小麦还为这个书包找出了第三个好处。

留住青春不放的陈非费劲地拖着一口巨大的旅行箱上了飞机，称重的时候费了九牛二虎之力才把箱子抬起来。处长显然觉得陈非是大力神赫拉克勒斯转世，往箱子里拼命塞了无数宣传资料，要陈非到展会现场去发放，以便为公司打算于下半年上马的新项目——宠物水族展造势。目前国内已有类似的展览，就是能请来飞人镇场子的那家大公司做的，效益相当好，摊位都得靠抢，老板眼热，也想照猫画虎搞上一搞。陈非不敢提意见，只好当成锻炼身体。

一个多小时后，飞机落在了上海，陈非拖着箱子坐上出租车去往订好的酒店，旅行箱的上下车照例把他累得半死。为了方便第二天早上搭乘飞机，酒店选在了机场区域内，进入酒店后又是不停地接洽报道的展商，连喝口水的时间都没有，忙到夜里九点过，最后一名展商也住进了房间，才算消停下来。这时候电话响了，陈非接起来，"我忙完了，过来吧！"

过了四十分钟，大概十点左右，打电话的人来了。那是一个年轻的女人——意思就是说和陈非年纪差不多——做知性女性的打扮，陈非本来已经张开双臂迎接，看见她微微隆起的小腹，愣了一愣。对方一笑，走上前来，两人轻轻地拥抱了一下。

"沧海桑田啊！"陈非感慨地说，"这么快我就要做干爹了。"

那是陈非的中学同学徐晓，在上海读了大学后，留在上海工作、成家。陈非和徐晓曾经同桌过，还一度传出一些暧昧的绯闻。当然对于陈非这个年纪的人来说，开放程度远不及几年后的那一代新新人类，所谓暧昧，也不过是停留在口头上的而已。不过两人毕竟很熟，只要陈非出差来到上海，总会找机会约徐晓见见面叙叙旧，只是闲聊一会儿，别无他意。

"幸好我住得离机场不远，你们怎么选这么偏的一家酒店？"徐晓问。

"相对机场来说就不偏了，明天上午就要起飞，离机场近方便点，"陈非回答，"最近怎么样，除了你的肚子？"

"还能怎么样？"徐晓耸耸肩，"替银行打工的可悲房奴。"

徐晓在一家私企做财会，两年前嫁给了她一位同样留在上海工作的大学同学。这一对小夫妻的财政状况和陈非与苏小麦差不了太多，但家里有几位蛮有钱的亲戚，于是借钱凑足了首付，在上海买了房子。有了房子，就不能算是"漂"了，何况现在连第二代都快出产了。

"我想做房奴还没机会呢，"陈非说，"在北京白混了那么多年，连个首付都凑不够，丈母娘急着催房子，一脑门子官司理不清。"

"房奴还是不做的好，"徐晓幽幽叹息，"我之前做梦都想自己买房，买了之后才知道，那真是一场灾难。"

陈非打量着徐晓，一年多不见，徐晓的眼角已经能看出皱纹了，脸庞也颇有几分憔悴，好像连眼镜都要架不住，不复过去容光焕发的模样。

"天天就是计算着省钱、省钱、省钱，"徐晓说，"不敢逛商场，不敢参加聚会，不敢请人吃饭，除了月供，还要攒钱还亲戚的债，随时随地都觉得眼皮子底下有阿拉伯数字在跳动……活得真累。现在又怀上孩子了，那就更可怕了。"

"咱们俩没什么差别，"陈非陪上一声叹息，"一样的不敢买、不敢吃、不敢花，阿拉伯数字天天在眼前跳，算计着还差多少够首付。也许我们这样的人，就注定得活到累死。"

"不说这些烦心事了，"徐晓挥挥手，"你和女朋友怎么样了？什么时候能喝上喜酒？"

"我不是说了么，丈母娘催房子呢，"陈非的眉头皱得更紧，"没房子，没老婆，这是丈母娘的基本原则。家里也没什么有钱亲戚，同学也大多不富裕，想借钱都难。"

"可惜我现在这情况，帮不上你什么忙。"

"你顾好自己吧，看你瘦的，一阵风就能吹到河里去，"陈非强颜欢笑，"再瘦下去变成汤猴子了。"

汤猴子是两人中学时代的历史老师，人如其名，瘦得像只猴子。两个人哈哈一乐，话题转移到那些陈年趣事上，暂时把烦心事抛到一边。等徐晓打上车回去了，陈非回到房间，对着镜子仔细看着自己的脸，发现眼角的皱纹一点也不比徐晓少。

晚上陈非只睡了一小会儿，一方面是心事重重难以入眠，另一方面也是把觉攒着，等上了飞机再睡。上海飞阿姆斯特丹要经过十二个小时的漫长飞行，在飞机上不睡觉的话实在很难熬，虽然座位上也提供了电子娱乐设备，可以看电影、听音乐和玩游戏，但缩在座椅上做这些事情总归是不舒服。

清晨，事先租好的大巴在酒店楼下呜呜呜狂按喇叭，陈非连忙把所有客户赶上车，拉到机场。时间本来很宽裕，行李称重时却遇上了大麻烦——超重了。陈非报的是统一称重，以便节省时间，他指望着有人东西带得少，有人东西带得多，可以平衡一下，没想到所有人都指望旁人东西带得少，而自己一定要带足分量，结果超重不少，按分量算要罚五千块钱。

陈非和工作人员求了老半天情，对方板着脸毫不通融，但要把这五千块罚款给交了，只怕胡大姐会从病床上跳将起来找自己拼命。他没有办法，只能央求客户们把带多的东西现场扔掉一些。客户们磨磨蹭蹭嘟嘟囔囔，忍痛扔掉一丁点零零碎碎，还是超重不少，这时候陈非想起了自己旅行箱里的宝贝们，管他三七二十一，带那么多资料我自己也累得慌，能扔则扔！

他扔掉了一大半的资料，其他客户再咬牙扔掉一些，总算是可以上飞机了。这时候陈非被折腾得满头大汗，还没起飞就忍不住先找空姐要了一杯水喝。飞机起飞后，他靠在座椅上，迷迷糊糊半睡半醒，因为总有客户摇醒他，问他手边的电子设备该怎么用，这一类的客户基本是乡镇企业的老板，虽然有钱，不怎么懂英文，出国了也要靠当地请来的翻译才能参加展会。

机舱是一个密闭而压抑的环境，虽然由于工作关系要不停地坐飞机，陈非却从来不喜欢飞机，他甚至怀疑自己天生有飞机恐惧症，就像博格坎普那样。在这样一个填满了人的小小的空间里，你却无法主宰自己的行动，每次想到这一点就让他头皮发麻。尤其是这样的越洋飞行，动辄十多个小时，总能让陈非噩梦连连，梦见自己坐在大学物理的考场上，试卷上面的题一道都看不懂。

陈非在时断时续的梦境里考了三十多次大学物理，最后一次醒来时，飞机降落在了阿姆斯特丹机场。这座机场的庞大每次都会令他倒抽一口凉气，就像见到了一整张试卷的大物题。他带着已经疲惫不堪的客户们穿行了大半个机场转机，坐一架过道窄得像细腰蜂的小飞机飞到纽伦堡，和地接的导游碰上头，这时候所有人看起来都像是刚从海船里钻出来的偷渡客。

别急，行程还不算完，预订的酒店并不在纽伦堡市区，因为这个展会是全球最大的宠物用品展，市区内的酒店早就被订光了。人们狼吞虎咽吃过晚饭，还得坐四十分钟大巴到郊区一个叫作埃尔兰根的只有三万人口的小镇去过夜。

此后的两天是布展时间。陈非的公司并没有要摊位，但他也不能闲着，必须在现场紧盯，客户们无论谁出了点儿问题都得找他，他再去找当地的布展公司协商。一来二去，和该公司负责接洽的德国小伙子混熟了。这个小伙子大学毕业不到一年，但英语说得很熟练，待人接物已经颇为老练，比陈非当年初入公司时的菜鸟模样要强，陈非只能自我安慰：洋鬼子的脸都显老，十四岁时看起来就像二十四岁了。

两天后所有摊位都布置完毕，陈非和德国小伙击掌相庆。名叫尤尔根的德国小伙问："晚上要不要一起去酒吧喝点什么？"

陈非抱歉地摇摇头，"我很想去，但我现在是个大保姆，需要把我的孩子们都送回去，还得随时听候他们召唤。"

"埃尔兰根也有个很不错的小酒吧，"尤尔根说，"晚上我可以开车去找你。"

盛情难却，陈非只能答应了，同时有点自惭形秽——人家都是有车阶级了，当然众所周知罪恶的资本主义世界汽车便宜，被压迫的老百姓买车也没什么值得炫耀的。

晚上两人在镇上的酒吧里喝酒。德国人和中国人不一样，没有那么多眼花缭乱的夜生活，八点钟之后天还亮堂着，街上却几乎没什么人了，能找到的人大概不是在家里就是在酒吧里，所以酒吧往往就显得人山人海。这也给人们一种错觉，好像国外满街都是酒鬼，不喝酒就了无生趣——实在只是因为人家不会玩而已。

埃尔兰根的酒吧和小镇本身一样，都显得很安静，这里坐的人虽然不少，却都只是安静地喝着酒，或者压低了声音交谈，与此同时柜台里的 CD 机放着舒缓的轻音乐，一点也不吵闹。陈非过去觉得过于安静的地方不适合喝酒，但这天晚上稀里糊涂喝了不少。他和尤尔根就像老朋友一样互相搂着肩膀，讲述着各自的生活，尤尔根对于陈非所面临的困境表示不解。

"为什么一定要买房子？"尤尔根问，"租房子住有什么不正确吗？我在三十岁之前肯定是不会考虑买房子的。"

这个话题太大了，陈非觉得自己很难向尤尔根讲清楚中国的福利制度和德国如何如何不同，所以资产的概念对老百姓有多么重要，那是一种内心深处的稳定感；他也觉得自己很难讲清楚中国为什么找不到长租房，以至于租房者必须要在房东的驱赶下不停地搬家，永远无法安定地生活。再说这些东西说出去也是脸上无光，作为爱国者，陈非认为自己很有必要在国外维护国家形象。

最后他只能把过错全部推到丈母娘身上——虽然丈母娘有些冤枉——对尤尔根说："在中国，这是一种习俗，男人和女人要结婚就必须住在自己的房子里。如果没有房子，丈母娘是不会允许你们结婚的。"

尤尔根一脸的同情，"你们的丈母娘真可怕，看来我没法娶一个中国老婆了。"

"而我不得不娶，所以不得不摊上一个中国丈母娘。"陈非叹息一声，把一杯著名的巴伐利亚黑啤酒灌进肚子里。

这一天晚上陈非很晚才回到酒店。德国人注重绿化，自称"上帝给了德国空气"，夜间的空气清新而凉爽，让燥热的他感觉一阵阵舒适惬意。回到酒店，他也不想睡觉，先到网络室里去上上网，处理一下这几天堆积的邮件——他的笔记本出了毛病，网卡坏了。这家酒店不仅外貌古朴，电脑设施也相当古朴，所谓"网络室"只有三台电脑，还都是陈旧的机型，和展馆的绝对现代化形成鲜明对比。

打开邮箱，除了几封工作信函外，他意外地发现还有一封信来自苏小麦。打开一看，顿时酒意全消，只觉得一股寒气从脚底直蹿到头顶。

苏小麦在信里说，太后已经给她下了最后通牒，逼她下个月之内回老家相亲。如若不从，太后就要和她断绝关系。此事斩钉截铁，没有半分通融的可能性。

苏小麦还说，太后经过慎重考虑，不打算让她在北京相亲了——这或许是担心陈非从中作梗——所以直接想要让她嫁回老家。那些相亲对象都很有钱，太后的意思是，苏小麦干脆连北京的工作都辞掉，回老家当阔太太就行了。

　　苏小麦问：我们该怎么办？

女人冲动起来足以毁灭地球

据说，聪明的战略家绝不会过分纠结于一城一地的得失，他们都具备掌控全局的能力，未来的一切摆在他们眼前，就像是一个巨大的纤毫毕现的沙盘。现在太后面前就摆了这样一个沙盘，她在最近几个月里明显减少了对苏小麦的唠叨，甚至默许让苏小麦留在北京和陈非过年，但那绝不意味着她无所作为。她已经安排好了完美的布局，现在到了绝杀的时刻。

最可恶的在于，她选择了最佳的时刻，现在陈非远在海外，无法站在苏小麦身边给她以坚定的支持，就好比僚机迷失了方向，让长机完全暴露在敌人的炮火下。陈非慌慌张张打了个长途电话，说了几分钟就不得不挂掉——因为他也实在没什么招，只能白白浪费昂贵的国际长途。

于是陈非陷入了一种惶惶不可终日的状态，就好像每次临到要考大学物理之前的那个星期，这种状态被胡二定名为"大物状态"。按照胡二的说法，每当陈非进入大物状态，就会两眼发直，印堂发暗，嘴唇发青，面颊发黄。每当进入大物状态，陈非会食量锐减，精神涣散，浑身上下有气无力，做什么事情都心不在焉，连爱田由的新片都不想看。这要是在大学校园里，问题不大，充其量不过是打饭忘了插饭卡，打水忘了拔水卡，或者考试多挂一科，但在国外带着一帮展商参加展会，大物状态就相当要人命了，假如工作当中出现什么疏漏，往往就意味着金钱上的损失。

因此陈非只能咬牙苦熬，努力把大物状态压制在体内，使其不至于发作。与此同时，他强迫自己把注意力全都集中在工作上，参展的四天里一直抱着从箱子里取出来的还没有扔完的资料踏遍了展馆里的每一处摊位，向老外们分发资料，介绍展会，邀请他们到中国来参展。四天下来，几乎把四万平米的展馆走了个遍，脚上差点磨起水泡，舌头说得都快捋不直了。

这样做的好处在于，证明了工作令人忘忧这句话的正确性，忙起来的时候的确顾不上去想苏小麦的事情；这样做的坏处在于，证明了工作令人忘忧这句话的片面性，因为你总有忙完的时候。一旦手里没什么事，两片嘴唇不用不停翕动和洋鬼子们唧唧歪歪，心里担忧的烦心事终究还是会浮出水面，让你越想越难受。

在同洋鬼子们打交道的空隙，他也会抽空去到展商服务区，利用那里的电脑免费上网，处理邮件。每天来往的商业信函还是不少，但苏小麦没有再写信，他也不明白到底现状如何了，只能在心里胡思乱想，腹诽着太后。腹诽之余，他也会想到，如果真的没有了苏小麦，以后的生活会是什么样。

这些日子虽然身在德国，但除了一顿特殊安排的德国风味餐，展商们的每一顿晚饭都是在中餐馆吃的，午饭也是从中餐馆订的盒饭，以便照顾大家的口味。但这些中餐馆开立的目的并不是为了照顾中国人的口味，而是为了迎合德国人的口味，所以做出来的中餐也很难算地道，无非是一堆酱油、盐和味精的奇怪组合，这总是让陈非想起苏小麦的厨艺。春节的时候，苏小麦宣布自己要学着多做一些菜，因为自己做饭可以省钱，老吃外卖无助于购房大业。她兴致勃勃地从超市买来各种新鲜蔬菜，兴致勃勃地把各种蔬菜和各种原料进行不同的排列组合。最后的结果是，做出来的成品基本上都喂了垃圾桶，还是不可回收类的，苏小麦气哼哼地拎回家一大袋咖喱，生活又恢复了本来的味道。

但是现在，如果能击败太后的攻势，他情愿把那些本应该倒进不可回收垃圾箱的五颜六色的化学实验品统统倒进自己的嘴里。陈非上一次吃到苏小麦的咖喱还是一个多月前的事了，现在他很怀念那种味道，比他盘子里装的巴伐利亚咸猪手强一万倍。

吃巴伐利亚咸猪手的那一天，也是离开德国之前的最后一天，陈非总算挺过了四天的展会，没有犯什么错误。过去他自视甚高，总是把"不犯错误"作为最低标准，但现在能不犯错误就要谢天谢地了。他和导游、展商们碰着啤酒杯，满脸堆欢，心里老大不耐烦，因为对于地接的导游而言，这一批客人算是送走了，但陈非还不得安生，还得陪着大爷们去埃及寻欢作乐，虽然埃及他已经去过两次了，虽然此刻他归心似箭。

陈非虽然挣钱不多，但工作受到很多人的羡慕，原因是他每年都能有好几次公费出国的机会，这种机会放在某些人身上可能很了不起，但陈非生来不爱旅游，而且他总是告诉别人："你以为出国是让你去玩的？比保姆还累！"

这话是事实。陈非出国的唯一目的就是伺候展商们，他们是衣食父母，万万得罪不得。不仅不能得罪，还要想方设法让他们玩得舒坦。所以虽然展会已经结束了，在"考察"的过程中，还是半点不能松劲的。

埃及比德国穷，但这并不能推算出埃及物价便宜，事实上，越穷的人民越对赚钱充满渴望。飞机在破破旧旧的开罗机场降落后，陈非就惦念着找地方上网，但海关人员体现出了典型的阿拉伯人作风，动作慢得有如考拉，好容易过了海关，把展商们在酒店安顿好了，已经是凌晨三点。他跑到大堂询问有无上网的地方，前台小姐很热情地把他领到陈设相当舒服的上网室，这时候他也看清楚了价码：每小时二十美元。

挨一刀也得认，陈非打开了邮箱，苏小麦又发了一封新邮件，点开来，里面写道："我已经躲到你家了，李萌帮我搬的家。太后不知道你住在哪儿，所以她抓不到我了。"

陈非愣了老半天，打了几行回复又删掉，再打几行回复，还是删掉了。他不知道该如何回复。他没想到苏小麦最后采取的应对措施是这样的，细究起来，简直像是戏文里古代才子佳人私奔。

事情终于演变成为了现代社会中的私奔，陈非挠着头，连赶紧中止上网省点钱都忘了，就这么对着屏幕呆若木鸡。显然这并不是什么好主意，甚至于可以定性为馊主意，一个大活人是不大可能从她父母的视线中消失的，举最简单的例子，太后可以到苏小麦的单位去堵她，偏激一点还可以到陈非的单位去告状："你们的员工诱拐无知少女！"那样怎么都是一脑门子官司。

但陈非更加在意的，是苏小麦所做出的这种决绝的姿态：她不惜与太后决裂，来争取到自己的幸福，日后她们母女应该如何面对、如何相处？自己的角色又会有多尴尬？因为太后百分之百会认为苏小麦的举动都是陈非设计并怂恿的。

这下子麻烦大了，陈非敲着自己的额头，可见女人冲动起来足以毁灭地球。

以后的几天陈非心不在焉，一闭眼就看到苏小麦和太后像两头愤怒的公牛一样对峙。好在这几天本来也就是旅行游玩的过程，埃及的地接导游阿力和他早就认识，工作一向勤勉敬业，替他省了不少麻烦。说起这位埃及导游，在中国还小有名气，他年轻时在中国留学，若干年前，曾经义务为中国某文化界红人当过导游，后来被写进了该红人的畅销书里。陈非第一次和他见面，就惊诧于他流利的普通话和对中国的了解，两人关系挺不错。

第一天的第一个游览项目理所当然是包含了胡夫金字塔在内的吉萨大金字塔群，客户们很开心地在金字塔外攀爬留影，陈非则忙着向他们传授经验："遇到那些卖东西的、嘴里喊着'one dollar'让你骑骆驼的、穿传统服装和你合影的阿拉伯人，一定要找导游去帮你讲价，不然他们会坑人的，告诉你'骑骆驼一美元'，其实是上骆驼一美元，下骆驼就要十美元……"

——交代完注意事项，陈非站在金字塔投下的庞大阴影里，和导游们悠闲地聊起天来。阿力已经订婚，计划下半年把未婚妻娶入门，他问陈非结婚没有，陈非苦笑着摇头，对方看出了他的尴尬，"怎么了，分手了？"

"分手倒没有，就是她的家里不大同意，"陈非吞吞吐吐地说，"娶一个老婆都够烦心的了，想着你们能娶四个老婆，真是觉得不可思议。"

"能娶和娶得到是两码事，"阿力耸耸肩，"按照我们的风俗，结婚男要送很多彩礼，而且婚后老婆都是不工作的，全靠丈夫养着。所以所谓的娶四个老婆，只有有钱人才能办得到，很多埃及的年轻人拼死拼活工作，都得到三十岁之后才能讨第一个老婆。"

这番话让陈非平衡了一点，可见命运大体上是公平的，非洲人民的生活也不比亚洲人民好到哪里去。但一提到公平，他又立刻想到了眼前的胡夫金字塔，马上就觉得所谓公平真是扯淡。我陈非这样的人辛苦赚一年的钱连个厕所都买不起，胡夫这老梆子就可以发动民夫搬来二百三十万块每块重二点五吨的大石头，仅仅是为他修建一个陵墓，光是这么想想都让人觉得岂有此理。

这之后的行程安排得无比紧凑，就近看过狮身人面像后，下午参观埃及国家博物馆，接着不断换乘交通工具，把卡纳克神庙、卢克索神庙、帝王谷、红海等等地方一路游玩过去，每个地方都是走马观花，而陈非在走马观花的间歇不停寻找上网机会。苏小麦继续汇报，说她住得挺不错的，就是上班稍微远点；说太后听说她搬家，怒不可遏地摔了电话，此后三天没有搭理她；又说自己悄悄接了个私活，利用一星期的工余时间完成，赚了不少钱，以后准备多接私活。她乐观地认为自己和陈非加起来能很快攒够首付，到时候买了房子再去向太后负荆请罪也不迟。

这个天真的姑娘啊，陈非悲叹一声，她还是无法理解自己母亲的决绝，或者说不相信她的母亲真的会冷酷到这种程度。但事实上，这样的事情屡见不鲜，为了一套房子而被迫分手的男男女女比比皆是。苏小麦天真单纯每天只需要面对一串串的代码，陈非却是在和各种各样的人打交道的过程中活到现在的，他毫不怀疑太后正在炮制什么更加惊人的举措。

陈非的眼前浮现出如下画面：在一个月黑风高之夜，苏小麦加班走在回家的路上，突然间跳出几条蒙面大汉，手里拿着明晃晃的钢刀，威逼苏小麦跟他们去见太后。他们堵住苏小麦的嘴，把她捆起来，塞进一辆马车——马车比较符合这个故事的氛围——然后送回了老家。太后准备好一间阴森森的地牢，把苏小麦绑在里面，天天逼她相亲……

最后他得出的唯一结论是：少看武侠小说有益身心健康。

四天后的夜里，人们一起泛舟于尼罗河之上，那是离开埃及前的最后一夜。游船上是一个灯红酒绿的世界；游船之外，尼罗河泛起点点波光，在黑夜里也看不清河面上漂浮着的种种脏物，于是给人以很美好的错觉。

在这种美好的错觉中，展商们目不转睛地注视着身段丰满的肚皮舞女郎，陈非和阿力在一旁边喝酒边聊天。阿力依然谈起他的未婚妻，作一脸甜蜜状，过了好久才想起陈非的烦心事，于是又硬生生地住口。

陈非摆摆手，"不用在意，折腾了那么久，我早就麻木了。再说了，现在什么都还不一定呢，塞翁失马，焉知非福。"

阿力一愣，"你说的最后几个字是什么意思？"

于是陈非把"塞翁失马焉知非福"这八个字向阿力解释了一下，阿力思索了一阵，"这表达的是什么意思？人的运气会转变？"

"差不多吧，不过这句话有更重要的用法，"陈非说，"当一个人倒霉的时候，你可以用这句话去安慰他，告诉他他的霉运总会过去的——而这实际上往往不可能。人一旦走了霉运，就很难扳回来了，不如随遇而安。"

"随遇而安又是什么意思？"阿力再问。

陈非又解释一通，这回阿力明白得很快，"和我们埃及人的思维方式比较接近。"

"你们埃及人的什么思维方式？"

"我们埃及人，或者说确切一点，我们阿拉伯人，比较相信缘分这种东西，"阿力说，"任何事情都要随缘，缘分到了，事情就能办得很顺利；缘分不到，再怎么努力也没用。所以阿拉伯人普遍比较懒散，也不怎么守时……"

这一点陈非深有体会。除了到中国熏陶过一阵子的阿力，埃及这地方从火车到大巴司机再到酒店服务员，普遍都不怎么靠谱，迟到个十分钟二十分钟那是家常便饭。但阿力提到缘分，又让陈非有点触动。

　　我和苏小麦之间，是不是就是缺那么一点缘分呢？他想着，虽然我们很努力，比十个阿拉伯人加在一起还要努力，但缘分到底到了没有呢？

梦想的起步总是很艰辛

杜愚小时候住在单位宿舍里。老旧的国营单位宿舍是一种很亲切的回忆，能够立即让你联想到很多东西：低矮乌黑的楼门，臭不可闻爬满蜘蛛的公共厕所，老少咸宜的公共浴池，不侧身根本走不过去的堆满杂物的楼道，晚饭时间各种交错混杂的充斥整栋楼的饭菜香味，收水电费时抱怨邻居家用得更多所以应该多摊一些的争吵声，等等等等。

大唐也有自带卫生间的公寓，但数目不多而且价格偏贵，一般的便宜房子都像杜愚住的这样，一楼一个公厕甚至完全没有。住在这种地方，杜愚总是很容易联想到自己小时候的生活，并且能得出这样的结论：活了快三十年，最后又活回去了。

清晨的时候，如果守在单位宿舍的门口，你几乎可以在短短二十分钟里看见全楼的人从宿舍里走出来，去往单位，就像是一条条从网里倒出来的鱼。在大唐，这样的场景依然存在。每到早晨上班时间，大唐就好像一座蚁巢，吐出无数密密麻麻蚁群般的年轻人，似乎是工蚁们外出寻觅食物。到了黄昏时分，人流又重新流回到大唐的蚁巢之中，似乎是工蚁们找齐了食物又回来了。与此同时，楼道里充斥着呛人的油烟味，这说明人类毕竟不是工蚁，即便找到了食物，也还需要做熟了才能吃。除了这一点，大害的外来居民们在杜愚眼中和工蚁没什么区别，每天沿着固定的轨道爬出去爬回来，过着忙碌而刻板的生活。

　　绝不能让笔下的女歌手也过同样的生活，这是杜愚得出的另一个结论。虽然真正的女歌手过的生活只怕比这还要无聊，但那不符合杜愚的审美情趣。他要创造，像真正的艺术家一样去创造。

　　他通读了好几遍女歌手的资料和简历，最让他喜欢的一点就是女歌手并非学院派出身，而是自己玩音乐的民间人士，那样会有很多发挥的余地。教育背景属于基本细节，是不能更改的，倘若更改了，那就写的根本不是女歌手，而是其他人了。但既然确定了女歌手是民间派，那就很有趣了。比如女歌手可能曾经在地铁里卖唱，面对着来来往往的人群，落寞地坐在地上抱着吉他，弹出属于自己的音符；她也可能在酒吧表演，带着满脸的欢愉祝所有的来宾能在她的歌声里度过一个愉快的夜晚，即便听到喝倒彩的嘘声和口哨声也要充耳不闻；也许她想过拜师学艺，却接连遭到冷遇，这证明学院派终究和她格格不入……

　　杜愚知道第一章该怎么写了，他将要从一个酒吧的夜晚写起。酒吧里光线昏暗，仅有的几盏电灯像是负十五瓦的，除此之外点的都是各种奇形怪状的蜡烛。酒吧里的人并不多，三三两两散坐在酒吧的各处角落，还有一大半的桌子是空的。这时候女歌手走到了舞台上，细声细气地向大家问好，然后伴奏音乐响起，她开始唱歌。这是女歌手第一次在酒吧这样的地方献唱，她做好了最坏的打算，等着被人喝倒彩，甚至于轰下台。但事实上，情况比她想象得要略好一些，没有人喝倒彩，没有人嘘她，当然也没有人热情地赞美她。一首歌唱完，酒吧里响起了疏疏落落的掌声，那是一种礼貌的掌声，表明人们好歹注意到了女歌手的存在。除此之外，再没有别的了。

杜愚写道，那时候女歌手的心里不尴不尬，倒是有几分茫然。由于舞台上的灯光很刺眼而周围很暗，她根本看不清下面的人们究竟是什么反应，所以只能靠猜测。但有一点可以肯定，她终于迈出了通往歌坛的第一步。

写完这一章之后，杜愚很满意地重新读了一遍，忽然之间，他觉得眼眶酸酸的，有点什么液体慢慢涌了出来。他恍惚间感到自己并不是在写女歌手的故事，而是在书写自己的命运。虽然女歌手站在荧屏前光光鲜鲜万人崇拜，杜愚躲在书商背后隐姓埋名地写着别人的故事，但杜愚觉得他们在本质上是一样的，都在为了理想而拼死拼活，却总是一次次被理想要弄得体无完肤。杜愚觉得自己根本就是在写自己的故事。

一个星期过后，他已经写完了好几万字，这时候胡二带着黑色枪骑兵过来看他。胡二曾经在大唐住过，黑色枪骑兵也在这里住过，只不过两人的时间没能产生交集。但总的来说，他们见到大唐后感觉都还是很亲切，就像革命老红军回到自己战斗过的地方一样。

"还在修新房！"胡二十分感慨，"简直要弄成一个大迷宫了！"

"早上主路边的那个油条西施还在么？"黑色枪骑兵笑嘻嘻地问，"她炸的油条味道挺不错的，我以前每天上班前都去她那里喝杯豆浆，吃两根油条。"

杜愚搔搔头皮，"我还真不知道这个，因为我不上班，所以早上一般不出去买早饭，还能省一顿饭钱呢。"

"你应该去试一试，"黑色枪骑兵说，"你们作家不都是要体验生活么？大唐就是活生生的生活啊，多精彩！"

这话说得杜愚很尴尬，他不知道应该怎么解释，来说明其实他根本没有那种自由去描述活生生的生活。关于他的生存现状，其实只告诉了陈非，但他明白，陈非知道了就等于胡二知道了，这两个人一向穿一条裤子，他也不打算对胡二隐瞒。但现在看起来，胡二虽然知道了，却并没有告诉他的女朋友，这是一种对朋友尊严的保护，令杜愚很感激。

"没吃过猪肉不代表没见过猪跑，"胡二为杜愚打圆场，"我哥们住在这里，显然就是要观察都市贫民们的生活嘛。"

"住在大唐不代表就一定是都市贫民，"黑色枪骑兵说，"以前我住在这里的时候，有一个室友月入六七千块钱，也不乐意到城里租单元房，就是图大唐便宜，她攒了钱好尽早买房。住在这里的好些人都是白领，也未必就租不起更贵的房子，老百姓有自己生存的打算。"

"也有道理，"胡二点点头，"要是每一个人都像陈非那样，非要和劳苦大众拉开距离，出门连公车都不坐一定要打的，这社会怎么能进步？"

"这分明是赤裸裸的嫉妒……"黑色枪骑兵咕哝一声。

黑色枪骑兵下午先走一步，单位临时有事要加班，只剩下胡二和杜愚。胡二冲杜愚龇牙一乐，"我本来想自个儿过来的，没想到我媳妇非要跟着来看作家……说说吧，最近到底怎么样？"

"老样子，还能怎么样？"杜愚说到这儿，忽然想起来了，"哦，对了，我有可能出一本书，署我自己名字的。"

"看看，我说什么来着？你迟早会混出头的！"胡二很是高兴，"是你的推理小说吧？我早说过你的推理小说写得好，以后说不定就是第二个柯南道尔、克里斯蒂什么的。"

"别扯那么远，现在八字还没一撇呢……"杜愚有点惭愧。他真心感受到朋友们对自己的关心，无论陈非还是胡二，都真诚地盼望自己能有一个好的前景。他觉得自己有点愧对朋友们。

"知道我最近干吗了么？"胡二又问，嘴角带着一丝神秘的微笑。胡二这厮有个毛病，没事儿总喜欢在脸上挂满各种含义不明的微笑，并且能随时进行无缝切换，显得相当居心叵测。前面提到过，他在中关村装机的时候成就不错，其中的一个成功要诀就在于他总能适时切换出诚实无欺的笑容，让顾客不知不觉间就上了他的当。

"你和你女朋友复合了嘛，其他还有什么？"杜愚反问，然后一下子想起了王小骚，"你不会也准备结婚了吧，那么快？"

"什么呀，不是那方面的事儿，"胡二说，"我找到新工作了。"

"工作？又去中关村装机？"杜愚懵懵懂懂，不明所以。他想起上次胡二和黑色枪骑兵谈恋爱的时候，胡二就暂时放弃了考研大业，跑到中关村去装电脑，这回说不定又是如法炮制。

"不是，这回是货真价实的工作了，"胡二说，"我以前在中关村装机时认识一个朋友，他开了一家主要做局域网工程的网络公司，去年就很想我过去帮忙。但是去年我还在惦记着考研，不想去做长期的工作，现在总算可以去了。"

"现在总算可以去了？你这话是什么意思？"杜愚敏锐地觉察到了些什么，"你不打算再考研了？"

"不打算啦！"胡二笑得貌似很畅快，"我也想明白了，何必把大好青春浪费在考研上。我想考研，不过是想要在学校里再躲上两三年，但是陈非说得对，两三年之后我迟早还是要出来。所以算啦，不提啦，现在开始安心工作吧。"

杜愚看着胡二，不知怎么的，心里有点难过。他当然毫不怀疑胡二可以做好任何事情，这是个靠着替考和做家教都能在北京城活下去的人，实在比杜愚强多了。但正因为胡二是如此聪明的一个人，他对于自己的理想才应该有着更深的执着乃至于固执。如今他放弃了这一坚持了六七年的理想，究竟是真的豁然开朗一下子想通了呢，还是只是出于对时间流逝的无可奈何，而最终不得已低头妥协呢？

或许后者的可能性更大一些，杜愚想，但无论如何，胡二做出了自己的决定，并且这个决定不容更改、不容置疑。

胡二走了之后，杜愚还在想着这回事：倘若胡二这样的聪明人都放弃了自己的理想，我杜愚这样的区区货色为什么还要死撑着不放。在他的眼前，北京城的景象再次浮现，那是一座古怪的城市，虽然城内灯火通明，仍然不能掩盖其纯黑的色泽和笼罩其上的蔼蔼雾气，北京城横亘在夜空下，真的就像一头巨兽，毫无怜悯地吞噬着一切，如钢铁般坚硬而冰冷。

这一天是周末，大唐的男男女女们终于得到了休息的机会。除去那些进城享受真正的北京城的人们，剩下的大多窝在屋里，通过廉价的网游以及不需要成本的网络影视、扑克牌等等来娱乐自身，打发周末的时光。杜愚隔壁住了几个四川小老乡，平时怕吵着人，到了周末终于可以轻松畅快地打麻将，一阵阵哗啦哗啦的搓麻将声音不断透过薄薄的墙壁传入杜愚耳朵里。往常杜愚很厌恶这种声音，现在他却发现，自己有些渴望这样的声音。这是欢乐的声音，是在困顿中仍然无所畏惧的声音。

而杜愚只能打开自己破旧的电脑，继续书写女歌手的故事。杜愚写道：女歌手只身来到北京闯荡，最初的时候只能住在地下室里。地下室在夏天挺凉快，但非常潮湿，平时暖气片上伸手一摸就是水珠。除此之外，墙皮在迅速剥落，地上经常掉着石灰渣，有时候天花板上的墙皮可以直接掉下来砸到人头上去。

此外地下室生产各种昆虫和小动物，因为那些生物也都很喜欢潮湿的环境。有时候女歌手一觉醒来，会发现枕边的墙上爬着一只巨大的蚰蜒，无数细密的小脚蠕蠕而动；又或者有时候下床提起鞋来，会从鞋子里面蹿出一两只缠缠绵绵的蟑螂。换了其他的女性，看到这样的场景可能会当即休克过去，但女歌手只是叹口气，用一张报纸把蚰蜒包起来，小心翼翼地扔到外面去，以防把它弄死了——一只蚰蜒长到那么大可不容易。至于蟑螂，则需要毫不留情地踩死。

杜愚在这里有所交代，女歌手之所以对身边的小生物们毫不畏惧，是因为她从小住在国营单位的集体宿舍里，早就见惯了各种各样的壁虎、蜘蛛、蟑螂、胖头飞蛾。尤其是蟑螂，女歌手来自南方，见惯的都是那种又红又亮有半个巴掌大的南方蟑螂，一脚踩上去能听到嘎吱嘎吱有如骨头断裂的声音，让人听到就浑身发麻汗毛倒竖，相比之下，北地蟑螂真是堪称温柔小巧、我见犹怜。

由于这是一本自传，写的时候必须要用第一人称"我"，所以杜愚写着写着，更加分不清自己究竟是在写女歌手的故事还是在写他自己的故事。后来他想，也没必要分得那么清楚，他觉得自己和故事里的女歌手（不是现实中的女歌手）已经合二为一了，或者换句话说，他爱上了自己虚构出来的这个形象。

生活如此狗血

　　飞机从肮脏破旧的开罗机场起飞时，陈非觉得自己总算可以松一口气了。老天保佑，这一路上大爷们并没有给他找太多麻烦，让他能够不辱使命，领着大爷们从德国转到埃及，再平平安安转回国。当然，现在还不算完全平安完成，因为飞机离开开罗后不是直接飞回国，而是还要经停一次阿姆斯特丹转机。不过到了阿姆斯特丹也就差不多了，没有签证，大爷们不能离开机场的，也就不必担心他们流连于性都的繁荣。

　　只是这一次停留的时间长达9小时，加上时差的关系，着实有点难熬。不过机场很大，里面也设了不少商店，尤其包括免税商店，可以让有钱大爷们好好逛逛。之前行程太紧，几乎没什么逛街购物的时间，眼下在阿姆斯特丹机场补偿一下，聊胜于无。

　　陈非交代了注意事项，千叮咛万嘱咐大家一定要在登机时间一小时之前集合。然后他找到了一个休息处，靠在休息处的皮椅上，不停地掐着自己的手背以防打起盹来。在此之前，他把随身带着的书包口朝下压在脑袋下面，以便确定即便自己不小心睡着了，里面的东西也不会丢。

皮椅很软和，机场里也很温暖，但毕竟这种环境还是无法和真正的睡床相提并论。陈非好几次差点睡着，脑袋刚垂下去又醒了过来。这样下去可不行，他在自动售货机买了两罐罐装咖啡，咕嘟咕嘟都喝了下去，这才觉得精神好了些。

精神好了又难免胡思乱想，想着再过一天左右的时间就能回到北京，心里有些向往，但更多的是发愁。就算见到了苏小麦，除了提供精神上的支持，他实在拿不出什么办法可以帮助苏小麦，也是帮助自己击败太后。太后手里握着的是亲情牌和房子这个硬指标，那不是说两句好话可以糊弄得过去的。自己真的可以眼睁睁看着苏小麦和她的亲生父母断绝关系？这简直像是电影和小说里的狗血情节，带着一股琼瑶式的咸味——或者直截了当地说，像是个笑话。但这个笑话偏偏发生了，而且就发生在自己身上，于是自己也变成了这样一个大笑话。

陈非觉得自己的男人尊严正在飞速地丧失，他非但不能给予苏小麦幸福，就连正常的家庭关系都要给她破坏掉，这样做人真是丧权辱国岂有此理。他疲惫地揉揉太阳穴，感到这一段时间以来用脑用得太过度了，在国外的时候，尤其在埃及暴烈的日光下，有时候会觉得莫名其妙的头晕和胸闷，这已经不能用普通的神经衰弱来解释了，估计有点疲劳过度。

回去之后好好休息两天吧，他想。正好出国展会每次回来都会给两天假期休息和倒时差，可以大睡两天。

正想到这里，视线里忽然出现一个大胖子——比他还胖——急匆匆地向他跑过来。那是一名来自浙江的展商，心宽体胖，和陈非关系不错，平日里相互称呼大胖二胖。

"了不得了，二胖！"大胖嚷嚷着，"我的客人和老外吵起来了，我又不会英语……"

"在哪儿？"陈非一跃而起。大胖所说的客人，是他的企业所在地的外事处的处长和副处长。大胖平时做生意经常要仰仗二位处长的关照，所以借着这次出国的机会，炮制了假的在职证明，让二位处长假冒他的员工，拿到邀请函随他出国玩一趟，也算是一种变相的贿赂。

陈非跟着大胖跑到事发地点，那是一个卖表的专柜，离陈非所在的休息处还挺远，走了十五分钟才到。正处长正在操着带江浙味道的英语和售货员激烈地争吵着，手舞足蹈唾沫横飞；副处长在一边帮腔，满脸义愤。

"怎么回事？"陈非赶忙发问。

正处长没搭理他，继续教训售货员。副处长嘴里愤怒地哼哼着："太不像话了！这些洋鬼子！"向陈非讲述了事情经过。原来是二位处长想要在这里买表，依照在中国小商品市场里的习惯，一块块的表拿起来又看又听，有点惹恼了售货员，嘴里开始嘀嘀咕咕"这些中国人"如何如何，显然是对中国人一直有所成见。但正处长碰巧学过荷兰语，听懂了他嘀咕的内容，当即勃然大怒，他的荷兰语说得不流畅，于是用英语和对方吵了起来。

陈非听完，松了一口气，他开始担心二位处长被当成小偷了，那麻烦就大了，现在这点事情，几乎每次出国都会碰上，纯属小儿科。他以三寸不烂之舌好说歹说劝住了处长，向他保证自己将会向机场方面投诉该售货员，让大胖半扶半架把处长带走了。然后他擦了擦额头上的汗，真的打算找地方去投诉那名售货员——每次遇到这种开口闭口"你们中国人"如何如何的家伙，都能激起陈非的火气。再说了，时间那么多，闲着也是闲着。

他走出几步后，忽然觉得有点什么东西不对，但又想不出来到底是什么不对。又走了几步，这种"肯定有点什么东西不对，但老子一时半会儿就是反应不过来"的感觉越来越强烈，他下意识地摸了摸自己的肩膀，忽然一下子跳了起来。

他把自己一直压在脑袋下面的、平时总是挎在肩上的书包忘了，忘在了休息处的皮椅上。

有一个词叫作魂飞天外，有一个词叫作魂不附体，还有一个词叫作魂飞魄散，不管哪一个词，用来形容现在的陈非都挺恰当的。自从大学毕业不必再上体育课和参加体育考试开始，陈非还从来没有这样跑过。他跑在路上，所有人都瞪眼看他，还有的以为他是偷了东西的贼，出于正义心想要拦住他，但都被这个胖子像足球场上梅西过人一样轻松甩掉。

——我把书包给忘了！陈非的眼睛都快要充血了。包里装着一些诸如随身听之类的小物件，那并不要紧；还有一些旅行支票，也不算要紧，因为只有陈非自己的签名才能取到钱；但里面装着他的护照和机票，这玩意儿很要命，离开这两样宝贝他哪儿也去不了，只能在机场里待着。

而最最最最要命的是，包里还装着五千欧元公费，一路上花了一部分，又取了两张旅支补足，换算成人民币要超过四万——已经超过了他全部积蓄的一半。本来房子离他已经有了相当的距离，再赔掉这笔钱，基本等同于自己这几年的辛苦统统付诸东流，全白费了。有一个好处是，人民币不断增值，这五千欧元已经不能像几年前那样换出五万多块钱了。

那一刻陈非脑中空空，什么都不能想，什么也不敢想，他怕再多想下去自己就要发疯了。之前他和大胖快步走过去花了十五分钟，现在跑回去只用了五分钟，睁大眼睛往皮椅上一看：书包已经不在了。

陈非两腿一软，跌坐在离他最近的一张椅子上，不知道该作何想法。他从小到大都并不是一个爱财如命的人，否则也不会断断续续借给杜愚那么多钱——明知多半还不上。然而在现在这个特殊的历史阶段，钱对他来说无比重要，甚至可能改变他未来的命运。偏偏在这个节骨眼上，他丢失了一笔穷人标准下的巨款，这四万多块钱可能会要了他的命。

陈非瘫坐在椅子上，有那么两分钟的时间完全不知道自己脑子里还装了些什么。这时候有人拍他的肩膀，他过了老半天才反应过来，抬头一看，是同行的展商庄大姐，性喜助人为乐。

"你刚才跑那么急干什么？"庄大姐温和地说，"把背包落在椅子上了都不知道，幸好我就在那边，帮你把包拿过去了。"

说完，她把陈非的书包递过来。

非常奇怪，陈非觉得自己此刻理应有一些欣喜若狂、如获重生之类的感觉，但事实上，他没有。他只是很镇静地接过了书包，道了一声谢，然后重新坐下来。书包失而复得了，但刚才的恐惧感仿佛还盘旋于心间，一点没有退散。

他伸手摸了一下脉搏，发现心脏跳得很厉害，至少每分钟有一百二十下。与此同时，他觉得自己的手也在止不住地发抖。

好累啊，陈非觉得自己现在才想起来该怎么喘气，然后他就不停地喘气，似乎空气里的氧气含量不够了。

人在魂不守舍的时候，就会忽视了时间的流逝。陈非喘着气，不知不觉九个小时到了，展商们也都按时回来报道。他领着大家走向海关，一路上觉得身体有点不对劲，腿脚直发软，至于到底哪里不对劲，一下子也说不上来。

之后的路程并没有出什么岔子——人也不能点背到干什么都出岔子——飞机把大家带回到上海，展商们纷纷向陈非表示感谢，因为他一路上服务尽职尽责，有的展商干脆就说："明年的展会要是还是你带团就好了。"

陈非送走了展商，自己再去买机票飞回北京，发现时间最近的一趟航班在虹口机场，不然还得多等五个小时。这时候他已经对等待这种事情厌烦到了极点，二话不说买了票，然后跳上直通大巴。

大巴一路穿行过市区，陈非靠在窗边，觉得坐大巴比坐飞机好多了。坐飞机的时候，看出窗去只有一片白茫茫的云气，看久了实在很无聊，坐在大巴上至少可以看到很多人，很多楼房，还有街边五彩斑斓的广告牌。在这里可以看到上海的外壳，虽然仅仅是外壳，也可以看出这座城市的繁华。和北京一样，这里也有无数外地人像鱼儿一样游入这座大池塘，期冀着在这里改变他们的命运。有一种说法叫作"逃离北上广"，但事实上，真的愿意逃离的能有几个呢？更多的人还是怀着满腔的憧憬削尖了脑袋硬往里挤，全然不畏惧可能的头破血流的结局。

他想起自己的好友徐晓，已经在上海过上了房奴的生活。她嘴上倒是不停抱怨房奴的日子多么辛苦多么疲累，但心里未必不是乐在其中。人们都有自己的幸福，为了幸福付出一点代价理所应当。假如真觉得成为上海的房奴就是一种幸福的话，为了这种幸福而辛苦劳累又算得了什么呢？起码陈非就很羡慕她。

一个来小时的飞行后，再坐上一个多小时的车，劳顿的旅程终于划上句号。陈非回到家，扔下行李，痛痛快快洗了个澡，把身体摊在床上好似一张煎饼，酣然入梦。醒来时已经是深夜，苏小麦正坐在床边，忧虑地看着他。虽然大半个月不见，两人把一切多余的话都省掉了，直接面对最难缠的大问题。

"我妈这两天也不给我打电话了，"苏小麦说，"所以我心里更没底了，不知道她到底想干什么。我怎么办？还这样一直拖下去么？"

"我想了一路都没想明白，"陈非叹息着摇摇头，"不搭理你妈肯定不行，但是要和她谈谈的话，该怎么谈？她已经把话说到这个份上了，除非天上能掉五百万砸到我的脑门上，不然她恐怕怎么都不肯改口的。"

两个人愁容不展，说了老半天，仍然没有说出什么有建设性的主意来。其实陈非知道，摆在眼前的无非就是两个选择，要么苏小麦真的和家里彻底闹翻，要么两个人分手，但这两个选择没有一个能说得出口。所以只能学习鸵鸟，把脑袋埋进沙子里，运用起拖字诀，拖得一天算一天。

真烦，烦死了，陈非觉得后脑勺又开始一阵阵地疼，空气里的氧含量似乎又不够了。

医院又名检查院

陈非是在一个没有风的清晨发病的，在此之前，他喝了一夜的酒。

做业务工作的人往往有这种体会：喝不完的杯中酒，吃不尽的应酬席。据说觥筹交错之间更有利于谈生意，所以大量白花花的银子都流入了筵席之中。酒桌上讨好人不易，求人更不易，你需要的除了花言巧语拍马屁，最重要的是要有一个能装酒的肚子。

几年前，陈非刚刚到公司报道的时候，公司特地组织了一次聚餐，所有人轮流端着酒杯灌陈非。陈非从容应对，坚持不败，老总大喜："人才！以后酒桌上就交给你了！"

于是此后凡是有酒桌上的应酬，老板或是处长都会带上陈非。说起来也很奇怪，陈非平时从来不好酒，聚会的时候更是一向以爱喝软饮料而被众人耻笑，但或许是天生基因好，他的酒量确实不错，甚至于面对东北人或者蒙古人也能抵挡一阵子，很快成为公司一宝。

发病前那一晚，一位几年来一直支持包装机械展的大客户到北京来和老板面谈，商议今年继续增加摊位面积的事宜。

这位客户的公司全国知名，也算是包装机械展上能给展会撑场面的头牌，老板焉能不重视？

"把你们公司的小陈也叫上吧，"客户说，"小陈酒量好，我喜欢！我带了好酒，六十二度的衡水老白干！"

于是被喜欢的陈非也列席作陪。老板和处长的身体都不怎么好，一个是高血脂高血糖，一个是脂肪肝，于是他们象征性地喝过两杯后，其余的酒基本都交给陈非挡驾了。陈非左一杯右一杯，六十二度的衡水老白干喝进嘴里就像在喝硫酸，从舌头烧过喉咙，一直烧到胸腹。据说这种衡水老白干还不是最纯的，以前的可以在杯里点上火烧得干干净净，一滴水都不剩。

除此之外，桌上还有啤酒，因为客户的小蜜不会喝白酒，但挺喜欢喝啤酒，奇怪的是没喝出啤酒肚来，身材还是那么妖娆。该小蜜总是一脸媚态，逼着陈非整杯整杯陪她干，陈非既然要讨好客户，不能不连客户的小蜜一起捎带着讨好，所以又下肚了无数的啤酒。

陈非喝到后来，偷偷跑到厕所吐了几次，回来若无其事接着喝，渐渐进入物我两忘的绝佳状态，无论衡水老白干还是啤酒，倒进嘴里都像是在喝水。周围的景物渐渐模糊，他还残留着一些记忆，记得自己和客户勾肩搭背互称兄弟，记得自己和小蜜手牵着手情歌对唱，再往后就记不清楚了。

醒来的时候，他发现自己躺在自家床上，床边放着自己的洗脚盆。身上的衣服都换过了，现在自己正穿着干净的睡衣。苏小麦靠在床边，正在轻微地打着呼噜。他明白自己又大醉了一场，是被公司同事送回来的，而看情形苏小麦伺候了自己一夜——窗外的天色已经发白。陈非有些愧疚，伸手轻轻抱住苏小麦。

苏小麦醒过来，看看陈非的表情，无声地笑了，"行啦行啦，别又把你那些道歉的车轱辘话翻过来掉过去地说，工作需要，谁都知道，你又不是那种花天酒地的货色。躺着吧，你们老板说了，你是因公醉酒，放你一天假。"

陈非嘿嘿一笑，"我每年的因公醉酒假加在一起，快和年假的天数差不多了。"

苏小麦撇撇嘴，"所以你的啤酒肚一年大一圈，跟年轮似的。行了，不和你瞎扯了，自己在家好好休息，我得上班去了。"

苏小麦到卫生间去洗漱，洗完脸，边擦着润肤露边走来，忽然大叫一声："喂，你怎么了？"

——只见陈非半截身子留在床上，上半身已经掉到了床下。他低着头，手捂着胸口，看起来相当难受。

苏小麦这一声叫惊醒了对门的李萌，两个女人一起动手把陈非扶上床，看着他手捂胸口大口大口喘着气。李萌伸手搭他的脉搏，大惊小怪地喊起来："这是怎么回事？脉搏都跳成一条线了！"

"那得多快啊？"苏小麦傻眼了。

"至少一百五六吧？"李萌也不确定，"他每年体检，心脏有什么毛病没？"

"好像就是有点窦性心律不齐，可那根本不算什么毛病啊！"苏小麦说，"要不要打120？"

"不用打……"陈非艰难地开口了，"现在好多了，我就是觉得胸闷心慌，喘不上气。"

果然，陈非线一样的脉搏慢慢平缓下来，虽然还是在一百左右，已经不像刚才那么离谱了。苏小麦把窗户全打开，让陈非大口大口喘气。等陈非喘完气，她担忧地问："要不要去医院看看？"

"恐怕得去看看了，"陈非说，"这颗小心脏还没这么着跳过。"

"你陪他去吧，"李萌说，"我去他们单位帮他请假。"

"不用了，"陈非咧嘴一笑，"今天本来就是放假，因公醉酒假。"

于是苏小麦打电话请了假，陪着陈非来到医院，挂了心内科。两人等在诊室外，眼里所见基本都是头发花白颤颤巍巍的老头老太太，只有陈非一个人是不到三十岁的小伙子，夹在老人们当中甚是滑稽，就像梅花鹿群里混进了一头长颈鹿。

"你混在他们中间还真是扎眼……"苏小麦偷笑。

"我这叫少年老成。"陈非一本正经地回应说。几天之后，当他躺在夜间急诊的病床上，听着身边一个病重的老人拉风箱般不断喘息的时候，他才觉得玩笑不能随便开，有时候人们根本意识不到老之将至。

等了半个小时之后，大夫接见了陈非，看见他如此年轻，也是微微一愣。陈非诉说病情，说自己持续胸闷心慌，并且心率曾经飙升到跳成一条线的程度。大夫问陈非有无家族心脏病史，陈非说自己祖上三代都心脏健康，大夫也有点纳闷了。她给陈非量了血压，140/95，略偏高，但也并不算高得离谱。

"这么年轻，怎么可能得心脏病？"她在几张检验单上唰唰唰地写着字，"做一个心电图，做一个尿常规先看看吧。"

陈非当时并没有想到，这是他此后一两个月里各种各样乱七八糟的检查的开端。医院是这样一个地方，生怕各种各样的器械放着不用会生锈，只要有机会就会开出无穷无尽的检查项目，把病人们的腰包掏得干干净净。倘若遇上一时间解释不清的病例，更是会把各种莫名其妙的检验揉成一团喂到你嘴里，不把你撑死绝不算完。

现在只是刚刚开始。陈非做完这两项，没有看出任何问题，大夫再询问了陈非最近一段时间的身体状况，很有职业感地皱着眉，"有点头晕，有点心慌，除了那一次心动过速也没别的问题……这个得做进一步观察才能得出结论。我给你开点药先吃着吧。"

她给陈非开了些活血清脑的药物，大手一挥把陈非打发走了，陈非和苏小麦都很纳闷：怎么什么病都闹不清楚就先吃药呢？但显然大夫见惯了各种重症，对这点小毛病并不上心，两人没办法，划价拿了药，先回家歇着。

此后的两天陈非没有犯毛病，他猜测自己大概只是临时的小毛病，也许是累的，于是继续去上班。大夫开的药他还是按时吃了，觉得更加不会有什么问题。然后到了第三天早上，陈非又费劲地挤上公交车，并且很幸运地抢到一个座位——这种事情比中彩票容易不到哪儿去——一屁股坐了下去。然后突然之间，毫无征兆地，他觉得一阵凶猛的心悸无力感袭来，立刻就觉得四肢发软。摸一下脉搏，又跳成了一条线，估计不下一百六。

那一下陈非跌坐在椅子上，半天不敢动弹，生平第一次，他感到了死亡的威胁。极度的恐惧在那一刹那攫住了他的全身，让他感受到濒死感的蔓延。那一刻他想起了很多由于心脏问题而猝死的传闻，甚至有表面上看来无比健康强壮的足球运动员，在球场上好好踢着球，忽然间就倒在地上死去了。那段视频陈非见过，当时还直发感叹。

我也会成为猝死人群中的一员么？陈非紧紧捂着心脏无力地想，只觉得那种突如其来的死亡恐惧已经渗入了骨髓，随着血液流遍全身。还不到三十岁的年轻人像西施一样捧着心，满脑袋想的都是四个字：我会死吗？

公交车上依然挤得满满当当无比热闹，一个挺着大肚子的中年妇女深情地看了他好几百眼，但陈非实在没有能力站起来让座，中年妇女的深情化作鄙夷，嘴里嘟囔着"没素质"，把深情的目光投到另一个年轻人身上。

好容易挨到公交车到站，陈非也不管这是什么站，跌跌撞撞挤下了车。运气不错，车站旁边就有一家药店，陈非进去买了一盒速效救心丸，管它三七二十一先往嘴里倒了一把。接着他拦下路边的一辆的士，直奔医院。

到了医院，心慌的感觉却突然消失了，再一摸脉搏，似乎又恢复正常了。但陈非还是不敢怠慢，进医院挂了急诊。他再做了一次心电图，量了血压，竟然一切正常。再去做了胸透，也没能看出任何东西。

"查一下血吧，"大夫说，"心电图和胸透都看不出来，也许是心肌炎？"

于是陈非又稀里糊涂被抽走好几管鲜血，分别查肌酸磷酸激酶、谷草转氨酶等几项指标。他想起自己在大学的时候义务献血，可以拿到两百块钱补助和一些劣质红糖之类的营养品；在单位完成献血指标更是不得了，两千块现大洋之外，还有一星期的假。可惜他只完成过一次，此后单位以保护员工为理由，每回都在大学里找学生来代替，陈非当然不好去争，但心里其实相当遗憾。而眼下自己也献出去不少血，还得倒给几百块钱，真是冤死了。

等待验血的时候，他给单位电话请了假，然后给苏小麦打了个电话，苏小麦听说他心脏又犯病，急坏了，当场就要翘班跑过来，陈非连忙劝阻，"你来了也白来，不用过来，现在我身边全是医生，想死都死不了！"

苏小麦一想也是，遂放弃了翘班的念头，"那你自己多小心，我晚上早点回来！"

陈非坐在急诊室的椅子上，一会儿按一下脉搏，但脉搏偏偏和他作对，进入医院之后，那些来势汹汹的心慌心悸胸闷以及心动过速都消失得无影无踪，心率始终维持在八九十跳每分钟，考虑到现在他比较紧张，这样的心率完全正常。

四十分钟后，验血的结果出来，除了略有点高血脂，其余指标完全正常甚至还有略偏低的，说明压根不会是心肌炎。大夫想来想去，"你那么年轻，不应该是心脏病啊，又没有家族遗传……保险起见，约一个心脏彩超吧，看看心脏有没有器质性病变。"

器质性病变？陈非心里咯噔一跳，而彩超这个词也让他一下子想到了孕妇，更是有点哭笑不得。但毕竟心脏的难受是实打实的，公交车上那种濒死感恐怕会终生难忘，这种时候，大夫就算要把他开膛破肚他也只能忍着。

"顺便再做一个24小时动态心电图，"大夫又说，"如果你再出现那种心动过速，仪器可以记录下来。"

大夫说得轻描淡写，这两样高科技玩意儿每项都两百多块钱，划去医保的部分自己也得掏不少。陈非顾不得算账，匆匆约好了第二天上午的心脏彩超，再把二十四小时心电图背上，这东西也叫holter，要往你身上贴若干个感应器，感应器连出线来，统统接入一个方形的小主机让你背在身上。在这二十四小时内，你必须背着这些感应器和主机不离身，还得远离电视机电脑之类的辐射源。

又得多请一天假了，陈非叹口气。请假就好比从处长身上割肉，这些年来，偶尔有点头痛脑热的小病陈非都尽量扛着，但眼下性命攸关，处长的脸色再难看也得看。

陈非回到家里，看看闲书打发时间，苏小麦回家为了哄他开心，也尽量不谈病情，只是拿着holter好好取笑一番。

"你这样子活像做人体实验的，"苏小麦说，"又好像一大堆蜘蛛在身上爬。"

"只要能解决问题，再多实验我也认了，蜘蛛爬我都认了，"陈非的兴致始终不高，"困了，先睡觉吧。"

他小心地侧身躺下，以免压着 holter，迷迷糊糊正要入眠，忽然心脏猛地一抽，一阵心悸让他醒了过来。他定定神，翻身再睡，但又是在即将入眠的时候，心脏一抽，让他再度醒来。

这又是新的症状了。这一夜的前几个小时完全不能睡，只要临近睡着，心脏就会猛抽，使他猝然惊醒。直到凌晨五点钟，疲倦到极点后，陈非才睡了三四个小时，然后赶往医院交还 holter，顺便做心脏彩超。

接下来发生的一切让他不知道是该欣喜若狂还是垂头丧气。心脏彩超做完后，十五分钟后出了结果，他的心脏完全正常，没有任何器质性病变；下午 holter 的结果也出来了，除了有些时段窦性心动过速外，也没有其他问题，即便是半夜心脏抽搐的那些时刻，也只是简单的窦性心动过速。

"也许是高血压？"大夫更加吃不准了，"要不检查一下颈椎，有可能是交感型颈椎病，颈椎压迫交感神经会出现心脏病的症状；或者你再去查一下甲亢，甲亢也可能会引起心脏不适；又或者……"

"查！"陈非从牙缝里吐出一个字。就算把医院的每一个科室都踏遍，好歹也要弄明白老子到底是什么病，陈非咬牙切齿地想。

即便微弱，仍有星光闪烁

　　住在大唐的时候，杜愚就很少吃方便面了，一方面是他兜里稍微有了几个子儿，另一方面也是因为大唐有很多适合穷人吃的便宜东西，无论是五块钱的盖浇饭，四块钱的面条还是两块钱的肉夹馍，都是分量十足，很划算。除此之外，各类生活用品都可以到便宜的两元五元店去淘，也能省下不少钱。杜愚甚至开始觉得搬到大唐是一个多么英明的决定，住得越久，他越觉得自己爱上了这个地方。

　　有的时候他想要改善一下伙食，就走到楼下。大唐的地界上布满了各式各样的小餐馆，便宜，味道还不错。他坐进一家串吧，点上十来个串，一边慢慢吃着，一边听见身边坐着的年轻人们高谈阔论。这时候他们脱下白天的衬衣领带，都穿着休闲的衣裳，挽起袖子，交流着工作中或是生活中的琐事，讲一些粗俗的荤笑话，把啤酒杯碰出清脆的响声。他们住在大唐，是这座城市的边缘人，但他们是快乐的。

　　杜愚想，有朝一日如果我成为了货真价实的作家，我一定要按照黑色枪骑兵所说的，把大唐的生活写成小说。城中村是肮脏的、粗陋的、无序的，但同时也是充满温暖、充满希望的，它让许多手头拮据的年轻人有了安放自己理想的暂时栖身之所，使他们不至于刚刚起步就折掉翅膀饿死在路边，实在是功莫大焉。但他没有想到，这样的好日子持续不了多久，也许命中注定杜愚就是个悲剧人物。

　　事情是从一本书开始的。某位研究者仔细调查了居住在大唐之类城中村里的年轻人的生活现状，写出了一本挺有名的书。但大概是出于某种悲天悯人的情怀，他把这种生存状况描述得相当糟糕，并且直接用某种昆虫来加以形容，于是引来一大片铺天盖地的同情声和许多不知是帮忙还是添乱的学者的思考。众所周知，在这个世界上，专家一思考，百姓就要遭殃。

　　果然，不久之后，专家们的思考有了最终结果：政府要全力清理现存的城中村，也就是说，大唐命不久矣。当政府和当地村民的拆迁补偿最终谈妥之后，大唐会变成一个巨大的工地，绝大多数的出租房都会被拆掉，而原本住在那些出租房里的年轻人们，不得不进入城里，另寻住处——那样的住处可就比大唐贵多了，而且是衣食住行全方位地贵起来。

　　杜愚那段时间只要去网吧上网就会到大唐的贴吧里瞧瞧，大唐子民们普遍表示出强烈的愤怒，很多人就指责那位研究者帮倒忙，其间不乏污言秽语问候十八代祖宗者。杜愚倒是满同情这位研究者及其十八代祖宗的，首先他觉得一本书还不足以推动一项政策，那充其量只是无数原因中的一条而已——碰巧是最显眼的一条；其次他相信此人的本心是好的，但研究得显然还不够深入，而且悲天悯人的情怀放得太多，容易让人们的眼睛只看到事物的一个方向。人们看到大唐的拥挤脏乱，看到大唐居民的节俭拮据，看到生命挣扎的影子，却往往忽略了蕴涵于其中的希望。现在大唐要被拆掉，人们的生活压力将成倍放大，希望的光芒立刻小了很多。

此时大唐还没有开始拆迁，但人人都知道拆迁是迟早的事情，在这个地方肯定是住不长了，不少人已经开始提前搬家——怕晚了找不到便宜地方了。北京的城中村能够释放出来的租房人口是巨大的，连房租都能带动着上涨不少。也就是说，等到大唐的人们都离开大唐后，他们所要面临的不是贵一些的房租，而是贵得多的房租。

这个不知何时将会来临的未来让杜愚心情很恶劣，他刚刚找到一个安稳的栖身之所，一转眼又要失去它了。这使他更加坚定了那个想法：自己的人生就是一个接一个永无止境的磨难。

就在得到大唐拆迁的消息之后不久，那个电视剧本的付钱日期到了。杜愚打了好几次电话，工作室的人始终支支吾吾，不断推托，光是"财务不在"的借口就用了五六次。杜愚渐渐有点明白了，自己这次多半又被骗了。这种所谓的剧本工作室，其实就是几个人组成的草台班子，有个狗屁的专职财务。他们大多和一些影视公司有联系，作出的剧本能卖给影视公司就能有钱赚，卖不出去自然也没有钱。杜愚可以猜到，这个白烂之极的剧本多半是最后没有能够卖掉，所以工作室拿不到钱，也就没钱付给他。后来他试着找上门去，发现房门紧锁，始终没有人，估计已经退租了。

这种事情对杜愚来说已经是家常便饭，所谓人穷志短，再加上天生的性格因素，他总是不好意思去找欠他钱的人要钱，于是干过的很多活最后都成了烂账。

而另一方面，最有希望让他摆脱掉枪手身份的那一本推理选集，也始终没有能够做出来。编辑雄心壮志，想要做一套新生代推理小说家的原创集子，但选题报到出版社就连续被泼冷水。过去出版社也做过国内原创推理，销量惨不忍睹，很多书都整箱整箱退了回来。除此之外，长篇小说也许还有卖点，中篇集则又是另一种不靠谱的方式。出版社对这个选题没有兴趣，编辑只好再另想办法，但连续几家出版社都碰壁之后，编辑也灰心了。

杜愚很失望。这是他一生中距离摘掉枪手的帽子最近的时刻，这本书至少能让他真正的算有那么一丁点成就。在得到消息之后，杜愚不只一次做梦梦见这本书印出来了，封面印着"杜愚著"三个亮堂堂的大字。到时候他一定会把样书全部寄回老家，让老娘拿着书去送人，告诉别人：这书是我儿子写的，我儿子写的！

但这个愿望也难以实现了。损失掉两万块钱，又失去一本书的版税，现在唯一能带给杜愚安慰的只有女歌手的自传了。这个活不会像剧本那么辛苦费力，应该很快就能做完，并且，很重要的在于，虽然这也是枪手稿，却让杜愚找到了许多创作的乐趣。

在这个故事里，女歌手的音乐之路充满艰辛，在真正的女歌手提供的资料之外，杜愚又为她添加了许多事迹。女歌手不再是那个在舞台上吸引观众眼球的娱乐明星，而是成为了一个有血有肉的普通人。她在北京住地下室，在不同的酒吧寻找演唱的机会，想尽方法参加各种各样的选秀和竞赛，以便寻求一炮而红的机会。她面临着无穷的压力、无穷的难题，却又一次次在心力交瘁后重新振奋。

杜愚写道：酒吧的演唱结束后，已经是深夜了。由于酒吧距离住处并不远，女歌手并没有打车，而是选择了步行回去。那时候正是深秋，北京的夜风已经相当寒冷，她打了一个喷嚏，把衣服裹紧。那时候人行道上只有她一个人在走，十分自由，如果愿意的话甚至可以横着走。

北京城的大部分都已经陷入了沉睡中。虽然有些楼房上仍然有星星点点的灯光，但大多数的高楼大厦已经完全黑暗，只剩下模糊的轮廓。视线再往上，就能看到黑漆漆的天空中有些微弱的星光在闪烁。不管那些星星的光线多么黯淡，都是女歌手所喜欢的。很多时候，在走过这条黑暗而寒冷的回家之路时，是这些星光给了她温暖。身边是她所追求但却始终还未曾属于她的北京城，冰冷而晦暗，在黑夜里掩藏着自己的轮廓，丝毫没有保护她、温暖她的意思，她唯有从遥远的星光里才能得到些许安慰。

杜愚写到这段话的时候，碰巧也是深夜，大唐也已经安静下来。人们纵然有再多廉价的消夜方式，终归还是要在睡眠中为第二天的工作积蓄力量。杜愚站起身，来到窗口。在六月温和的夜风吹拂下，大唐也正在沉睡，纵然还有霓虹灯在闪烁。风中隐隐可以闻到臭味，那臭味来自于附近的公厕。这时候的夜晚并不是纯粹的黑色，而更偏重于黑中带灰，仿佛还在黏稠地流动，给人一种脏兮兮的无力感。

忽然之间，杜愚觉得眼前的一切是如此陌生，如此冷硬，让他找不到一丝一毫的归属感。他回顾着自己这些年在北京城所经历的一切，发现除了失败还是失败，竟然找不出丝毫的亮色，恰如眼前灰黑色的夜。有一个念头在他的脑袋里转过无数次，每次都被他强行压下去，现在却又无比清晰地钻了出来。

"回家吧，别在北京这棵老树上吊死了，"陈非曾无数次对他说，"你没有享受到北京的任何好处，倒是把地下室、集体宿舍、群租房之类的东西钻了个遍——这是何苦？回家怎么不比这个强？北京什么都没给过你，除了市面上所有种类的方便面，以后你死了肉身都不会腐烂，因为肚子里全是防腐剂——这又是何苦？"

杜愚每次都沉默地听着，有一次喝多了点酒，终于忍不住开口说："我就是还想搏一搏，这么回去太不甘心了。你知道我的，害怕和人打交道，要我做业务什么的肯定没戏。我如果回到家，只能像我爸一样，一辈子做一个办公室的小职员，逆来顺受，任何人都能骑在我脖子上耍威风。一想到那样在家乡的小城里过上一辈子，我就浑身起鸡皮疙瘩。"

"我倒是一想到你在群租房里挤一辈子，吃方便面一辈子就浑身起鸡皮疙瘩，"陈非尖锐地说，"每个人都有自己的生活，哪怕你害怕，也得适应属于你的生活，而不属于你的，终究还是会离你而去。别忘了，世道艰难，求生不易。"

现在杜愚就有这样的感觉。笔下的女歌手在执着地走向成功，而北京城却一步一步远离杜愚而去。

与此同时，陈非正躺在宿舍里，觉得生命正在一步一步远离他而去。在做完了心脏彩超和 holter 之后，他又检查了颈椎，检查了甲亢，最后的结果是——什么毛病都没有。但悲惨的事实是，心脏仍然在作怪，而且不停地变换花样。陈非已经两次在半夜三更的时候因为突如其来的心动过速而奔赴夜间急诊，心电图照了无数，但大夫照例什么毛病都说不出来。除了给他输两袋护心的丹参酮，给他开一点速效救心丸、通脉养心丸或者复方丹参滴丸外，大夫没什么可以做的。

而心脏的难受程度在与日俱增。胸闷、胸痹、心悸、心慌、胸前区闷痛、心动过速、早搏……各种各样的花样全都跳了出来，让陈非轮番享受。除此之外，与心脏无关的古怪症状也开始出现，他开始频繁地失眠，经常感觉头晕头痛，上下楼时四肢疲软无力，肠胃天天作怪。有一天夜里他在梦中忽然感到无法呼吸，连忙从床上跳起来，扑到窗边，夜风一吹，才算能喘过气来。苏小麦吓坏了，守了他一整夜没敢睡觉。

"我他妈这到底是怎么了？"陈非已经因为暴怒在家里摔坏了两个杯子和一个碗。他从来没听说过有什么病可以出现如许多的症状，但这些症状真真实实地出现了，就出现在他的身上。实在忍无可忍，他再次做了半个月内第二次心脏彩超和 holter，却依然什么都没发现。

倘若是真的心脏病，陈非自然可以请到长假，但他的病历上记满了各种症状，却没有任何确诊，他也不好意思再多请假，以免处长把他自己的牙咬碎了。但每天强打起精神上班后，他仍然会不停地觉得心脏和全身各处不舒服，所以干起活来效率低下，经常出错。他还很敏感地害怕起电话铃声，每当电话突然响起时，他都会觉得心脏一颤，十分难受。

现在正应该是欧洲高尔夫招商最要紧的时刻，但陈非说起话来都有气无力，打出去的电话自然难以取信于人。处长找他谈话，问他需不需要把这个项目移交给别人。若在往常，陈非绝对不会同意，这可是他辛辛苦苦经营起来的项目，但这一次，他很快就妥协了。

"随便交给谁吧，"陈非嘀咕着，"我是没力气了。"

"你最好小心一点，"处长意味深长地说，"最近你的工作状态很差。下个月公司就要进行重新分岗竞聘了，你要有心理准备。"

陈非明白。公司虽然是国企，但也并非完全没有改革的决心，上头研究了很久，觉得公司内部有些员工工作效率太低，某些部门负责人领导不力，所以决定搞一个重新竞聘，解决上述两个问题，简而言之，就是让某些人下台，某些人滚蛋。陈非本来是没有滚蛋之虞的，但现在得了这场病，只怕一切都不好说了。处长是绝不会容忍自己手下有一个废物的。他要是再这么病下去，继续着低下的工作效率，最后滚蛋的就会变成他。

所以现在陈非睁眼一瞧，随便哪个方向都是困境。他的心脏在不断作怪，太后在威逼苏小麦，他本来距离太后的最低要求都仍然有不小的距离，如今却很有可能丢掉饭碗。真是人倒霉了喝凉水都塞牙，各种难题赶到一块了。

他的心情变得越来越差，脾气越来越暴躁，上班时不断地长吁短叹，回到家里就开始无所顾忌地抱怨。他说自己迟早有一天会提着一把刀子劈了处长，然后再把自己的心脏挖出来，一劳永逸地解决问题。

"行啦，别老是发牢骚了，牢骚伤身，"苏小麦淡淡地说，"躺好了休息吧。"

这些日子苏小麦就像是个兼职保姆，每天早出晚归地上班，回到家还要照料陈非。陈非在勉强上完一天班后，心脏异常难受，基本做不了什么家务，于是事情都摊给了苏小麦，这还不包括好几次突如其来的夜间急诊。她同时面对着工作的压力、家庭的压力和陈非病情的压力，每天眼圈都是乌青的。她不想刺激陈非，接到太后的电话就只能躲出去，每次都要说一两个小时，回来时眼圈由乌青转为通红，可想而知太后的威逼到了何种地步。

有一天晚上陈非很难得地在十二点之前就睡着了，苏小麦坐在床边上网。到了半夜三点钟，她忽然把陈非摇醒，大叫大嚷着："我查到了！我知道你是什么病了！我知道你是什么病了！"

　　"什么病？"陈非迷迷糊糊地问。

　　"心脏神经官能症！"苏小麦大声说。

一生中最糟糕的时刻

心脏神经官能症，这是苏小麦在网上找到的，陈非看完后，发现完全符合自己。这种病的患者会有严重的心脏方面的症状，并且会引发全身的种种不适，但不管做什么检查，心脏就是没问题。因为归根结底，这是一种神经方面的病症，发疯的不是心脏而是神经。它的致病原因大同小异，基本都是由于压力过大和过于疲劳造成的。而得这种病的人大多都是年轻人，而且心思细密，想事情想得太多。

陈非回想起过去半年的辛苦工作，回想起自己每晚夜不能寐为了房子而忧心忡忡，回想起在埃尔兰根看到苏小麦邮件时的茫然，回想起在阿姆斯特丹机场书包失而复得的恐惧和狂喜，渐渐有点明白自己为什么会得这种怪病了。

"我想得太多了，"陈非拍拍自己的脑袋，"每天都有无穷无尽的事情去担忧害怕。"

"这种病其实就是变相的焦虑症，"苏小麦说，"网上说了，可以吃抗焦虑抗抑郁的药物，吃营养神经的药物，但最重要的在于放松神经，改变心情，才能从根上治愈。也就是说，你要淡定。"

淡定个鬼！陈非唯有在心里苦笑。眼下内外交困，不把自己急死已经是万幸了，哪儿还淡定得起来。他很清楚，自己历来是那种事无巨细都要仔细思量、全盘考虑的人，简单形容就是想得太多，这样的性格已经形成了二十多年，怎么可能轻易放得下。

所以陈非又去医院看了神经科，弄回来一堆死贵死贵的抗焦虑抗抑郁的药物，配合着维生素 B 和谷维素天天吃。心脏的症状果然有所缓解，可见药物还是对症的，但他焦虑的情绪并没有得到改善，该惦记着的事情一样也没放下。

他变得心烦、易怒，即便是"原来我患有轻度焦虑症"，这个事实本身都能让他更加焦虑。似乎是为了赌气，他在单位又开始发狂似的干活，得到处长一通赞扬，但转过身回到家，不堪重负的心脏开始提抗议，他又吞了一把速效救心丸才避免了再次跑夜间急诊。

"我不是叫你悠着点么？"苏小麦很不满意，"我总不能跟到单位去看着你吧？"

"废话，我工作都要丢了，不卖点力怎么行？"陈非怒气冲冲，"到时候什么房子、什么结婚，都变成狗屁了！"

苏小麦嘴唇动了动，似乎是很想反唇相讥，但又忍住了。这些日子她已经习惯了陈非总会突然爆炸开来的脾气，好像陈非就是一串熟透了的热带浆果——随便爆吧，大不了溅一身果汁。

这是一个渐渐陌生起来的陈非，他的情绪已经很难得到有效的控制，时不时就会发点或大或小的邪火。苏小麦和李萌都知道那不是出自他的本心，而是他的神经有了毛病，所以都尽力容忍。好在他也不会干出太出格的事情，只是变得格外絮絮叨叨，仿佛天底下什么事都很难让他满意。

尤其他的疑心开始变得重了起来。他开始觉得自己成为了一个累赘，一个招人讨厌的废物，这些年来在苏小麦面前的良好形象就像柏林墙一样崩塌掉了。苏小麦还会喜欢我么？这么一个喜怒无常、病病殃殃、惹人心烦的货色？她会不会一怒之下抛掉自己，真的回去听太后的话相亲去？

尤其让他沮丧的是，根据在网上所查到的，很多得了这个病的人都陷在苦闷中，因为没有人相信他们真的有病——现代化的科学仪器都检查不出来的病症，究竟算什么？虽然这个病的症状之繁多令人咋舌，却更加容易令身边人认为你是在装病。处长在开会的时候就指桑骂槐地说："大家平时都要注意好身体，有病就要赶紧医治，不要弄出些没法治又好不了的病来。"

陈非终于发现，自己进入了人生中一个极其微妙的时刻。在上一秒钟看过去，他有体面的工作，有漂亮的女朋友，好像在北京城混得还不错，下一秒钟他就可能失去所有的这一切，仅剩下一个正在犯神经质的肥胖的躯壳。

如果这是在老家呢？作为本地人，他的工作会比在北京稳定得多，或许也有一个见到下属请病假就气得嗷嗷叫的处长，但也未必会打算炒掉他。而家里的父母不管有什么毛病，儿子得了病，无论如何也会尽心尽力地伺候。他们都退休在家，有更多的精力照顾病人，不会像苏小麦那样累到黑眼圈。

陈非突然开始想家了。他平躺在床上，感受着从胸口不断传来的闷痛感，忽然间很希望自己此刻正躺在家里。他觉得自己的健康和希望都是被北京一点一点消磨光的，开始对北京产生了厌憎。这些日子里，他回到家就什么也做不了，只能躺在床上东想西想，许许多多不敢想、不能想的念头都清晰地冒了出来。他的头脑里多了一个陈非——姑且称为"陈非乙"，总是向他灌输一些邪恶的念头。

"别坚持了，和苏小麦分手吧！"陈非乙说。

"为什么？"陈非问。

"你明白的，你不能让她为了爱情真的和家庭决裂，那不是中国人的传统观念，"陈非乙说，"你说说你能给苏小麦什么？你是一个穷光蛋，在一个没什么前途的公司，混到三四十岁也就那样。"

"我还可以跳槽！"陈非不服气地说，"我可以加倍玩命地工作！"

"你敢跳槽吗？在北京找到一个稳定的工作有多难你又不是不知道，"陈非乙说，"加倍玩命工作更是开玩笑，你的心脏给你提的抗议还不够多？"

"那我该怎么办？总得有个办法吧？"陈非吼道。

"人类之所以愚蠢，就是因为他们总是天真地以为'世上的事情总有办法解决'，"陈非乙悠悠地说，"但事实上，大多数难题都是无解的。你的一生注定这样了，做一个小职员，平平稳稳地混完一生。也许你根本没资格结婚，即便结婚，也不是苏小麦。你以为你重点大学毕业、搞定户口、在稳定的国企上班就算征服了北京？你太天真了，兄弟，北京随便挥手一拳就能打得你头破血流满地找牙……"

"我要跳槽！我能挣更多的钱！"

"算了吧，你已经快三十岁了，大学毕业时的那股子冲劲早就被磨平了。除了房子的问题之外，你的生活大体上比较舒适，更加助长了你的惰性。而惰性这种东西一旦生出来就不可能消失，所以你根本没有改变现状的勇气。"

这就是陈非和陈非乙对话的大致过程，每一次都以陈非乙的完胜而告终。只有陈非乙真正了解陈非，知道他的一切弱点，能够说出丝毫不留情面的真话。每次和陈非乙对话之后，陈非的自信心就会下降一个数量级。

这是陈非一生中最糟糕的时刻，不是因为他内外交困，不是因为他生了重病，而是因为他渐渐失去了自信。他看着苏小麦的眼光总是很怪异，仿佛对方下一秒钟就会消失无踪，结果苏小麦终于忍不住了。

"你给我听好了，我只说一遍！"苏小麦恶狠狠地瞪着陈非的眼睛，"我不在乎你生病，我不在乎你生病的时候我照顾你、半夜拖你去急诊，我也不在乎背后有没有老太婆天天催命而你帮不上什么忙……但我真的很讨厌你现在这副要死要活患得患失的样子，我苏小麦看上的男人不是这个德行！"

但我已经是这个德行了，陈非躺在床上，神情木然地看着苏小麦，看到苏小麦忍无可忍转身离开为止。就这样吧，陈非想，裂痕已经产生，也许永远无法弥补了。

他索性请了十天的假在家休息，至于处长会不会在此后的竞聘会上更加坚决地要求辞退他，他已经懒得去想了，辞就辞吧。

他已经做好了最灰暗的打算：被公司炒掉，滚回老家，花上一年半载养好病，然后随便找个工作，敷衍完下半辈子。继续待在北京太耗钱了，近期北京房租猛涨，房东已经明确表态，秋天开始涨房租，尽管他还有些积蓄，也舍不得太过浪费。至于苏小麦，毫无疑问，他只能放弃掉。

而苏小麦似乎也对他灰心失望了。有那么几天，苏小麦显得心事重重，也不怎么主动和陈非说话，而在此之前她会不断找话题和陈非聊天，因为陈非这种病非常需要多与人交流。此外太后的电话越来越少，往好处想太后也不愿意真的把苏小麦逼死，往坏处想……也许她们之间已经达成了什么陈非不知道的妥协？

陈非连这一点都懒得深入去想了，他觉得自己虽然还不到三十岁，却已经开始认命了。虽然焦虑症在医学上早就明确了是一种疾病，但一切疾病都有成因。陈非的脑子比一般人聪明点儿，所以想的事情太多，思虑得太多；而他平时又太有城府，不管在工作中受了什么委屈，总是把气憋在心里，这些鸡毛蒜皮的小事慢慢郁积成长长的堤坝，把正常的情绪发泄也都挡住了。也就是说，性格酿成了疾病，疾病又反过来更加强化了性格，这是一个可怕的恶性循环。

六月渐渐进入了尾声。请假在家的第五天，是入夏以来最热的一天，干热的风在北京城盘旋，仿佛空气中的水分都被蒸发掉了，而家里的空调老旧失修，不停地漏水。这段时间陈非和苏小麦都被他的病所折腾，没顾得上找人来修空调，于是只能用水盆接着。陈非靠在枕头上，看着一滴滴的水滴进盆子里，把水花溅到墙上，心想这一块的墙皮也会慢慢侵蚀剥落，房东又有机会罚自己钱了。

正看着水花出神，床头柜上的手机开始震动。这些日子因为害怕受到电话铃声的刺激，他的手机都是调到震动静音，尽管如此，手机在木头平面上震动的声音仍然让他觉得很不舒服。他赶紧伸手接起来，"喂"了两声之后，忽然瞪大了眼睛："什么？你在哪儿？……等着我马上去！千万别冲动！千万别冲动！千万别冲动！"

他挂了电话，以生病以来从未有过的敏捷速度跳下床穿好衣服，冲到门口，犹豫了一下又退回来，把一瓶新的救心丸揣进兜里，然后夺门而出。

四十分钟后，他已经打车来到了东边。在开着空调的出租车里摇晃了四十分钟，让他的胸口又开始闷得厉害。下车后，他先狠狠地喘了一口气，然后抬起头，在刺眼的阳光里看向高处。这里是一片商住两用的高档小区，楼层很高，楼下已经围了几百号闲人，都在抬头往上看，脸上带着兴奋的表情不断朝上指指点点。

陈非也顺着他们的手指朝上看，在十四楼的楼道窗户那里,他看到了一个熟悉的人影,于是扯着嗓子喊起来:"杜愚!杜愚!"

他很快想到,现场那么嘈杂,这样喊是听不到的,忙拨通了手机,"快点回去!别发疯了!听我的话,快点回去,太危险了!"

杜愚沉默了一会儿后,慢慢说:"回哪儿去? 来不及了。"

然后他就挂断了电话,无论陈非再怎么拨,他也不接了。

陈非生病的这段日子,大唐也在生病,那同样是一种慢性病,在大唐的肌体和神经里游走蔓延,缓缓生根。大唐的好日子不多了,我们迟早都要搬迁,这是最近大唐最热门的话题,但在讨论和交流之外,最多的还是妥协和无奈。有人选择继续留在大唐,直到拆迁那一天再说,这是属于今朝有酒今朝醉、死到临头再说的想法;另一些人早早离开,早作打算。但与此同时,仍然有新人搬进大唐,虽然他们也听说了拆迁的消息,但众所周知,等待一条消息成真的时间往往很长,甚至于可能长过一两年,莫如趁着这段时间多省一个子儿算一个。

杜愚不是不想搬,而是无处可去,他很难再找到大唐这样便宜的单间了,除非又去冒着失窃的危险挤群租房。而他的钱包也在一天天瘪下去,付完下三个月的房租后,更是所剩不多了。除了几笔零散的短篇杂志稿费大概会在一两个月内到账,他最大的希望就是女歌手的自传了。

笔下的女歌手形象已经被塑造得很丰满,比起最初那些苍白而虚假的、充满粉饰意味的资料，这样的女歌手更像一个活生生的真人。事实上，她和真人也没什么区别，因为杜愚把自己的经历全都写了进去。这仍然是一个枪手活，却是杜愚一生中最用心、最完美的作品。某种程度上这根本不是女歌手的自传，而是杜愚的自传。

初稿完成后，他把稿子通过电子邮件发给女歌手的经纪人，经纪人看完之后赞不绝口，连夸杜愚才华横溢，"我甚至都没想到你能写得那么好！但是你写得太有文采了，这样的文笔拿出去读者会怀疑的，你还得稍微再改得朴实一点。"

"这个没问题，"杜愚说，"我马上就开始改。但是内容呢？内容有没有什么需要修改的？卢小姐有什么意见？"

这是他最担心的，因为他已经把女歌手描写得不像她自己了，虽然写作的时候十分痛快愉悦，写完了才开始担心：女歌手有意见怎么办？觉得这本书写的压根就不是她的故事怎么办？但经纪人的回答出乎意料。

"她不需要有什么意见，"经纪人斩钉截铁地说，"这本书的目的就是炒作她，美化她，内容是真是假根本无所谓。定稿之后再给她看让她把内容记熟就行，免得回头面对采访的时候说岔了。"

可怜的女歌手！放下电话后，杜愚徒生一通感慨。她甚至连拥有自己真实的人生都不可能，只能不断涂抹出虚幻的假象，来面对这个世界。正如经纪人所说，她不需要有什么意见，只要按照写好的剧本一步一步走下去就行了。杜愚不知道她和自己比起来，究竟谁更加不幸。

两天之后，杜愚明白了谁才是真的不幸，那时候他正在绞尽脑汁把手中的稿子修改得更加平实，忽然接到了堂兄的电话。这个电话彻底击溃了他所坚守着的一切，让他从头到脚陷入万劫不复。

　　"上周末我去看你妈，她的脸色很不好，"堂兄直截了当地说，"我追问了她半天，她才说，她病了，是食道癌，已经到了中期，而且凑不出手术的钱，大概还缺一两万块吧。"

　　"这不可能！"杜愚吼了起来，"她一直告诉我她身体很好！而且……她为什么不找我要钱？"

　　"她不想让你担心所以才不告诉你，其实她一年前就开始不舒服了，"堂兄说，"至于钱，我也觉得奇怪为什么不找你要，她只是说你在北京挣钱不易，还要发展，别给你添麻烦了……"

　　放下电话，杜愚的泪水就涌了出来。他在那一刹那明白了一切，其实母亲早就知道他在北京过得极不如意，早就知道他的艰难处境，但她仍然装作不知情，仍然每次都做出为儿子骄傲的模样，不断鼓励他，不管他的谎言和借口有多么拙劣。而在背地里，也许她已经不知多少次在暗夜里饮泣不止了。

　　这就是我妈妈，杜愚想，那个一辈子谨小慎微谁也不敢得罪的普通女人，丢进人堆里就再也找不出来的凡人。她这一生过得平凡琐碎、毫无亮点，在那座破败的小城里默默地成长、结婚、生子、变老、得上食道癌。她有一个不争气的儿子，为了那点可笑的虚荣心，在北京这座可怕的城市里苦苦支撑，而她必须要用自己的强颜欢笑去为该儿子打气，要用自己佯装的喜悦与骄傲作为支撑儿子的最后一根稻草，哪怕癌细胞正在体内疯长，吞噬着她所剩不多的生命。而她的儿子在这段时间内一事无成，几乎混迹于社会的最底层，头顶上徒顶着"文人"的可笑光环，说到底根本就是个只会造大粪的废物。

一个废物！杜愚狠狠给了自己一个耳光，然后是第二个、第三个……直到把自己的脸打得肿起来，他都不想停手，因为只有这种肉体上的痛楚能让他暂时逃避开精神上的折磨——但那也只是暂时的。

这天晚上杜愚喝得烂醉。他把自己关在那个狭小简陋的单间里，一瓶接一瓶地灌着啤酒，每喝完一瓶就把瓶子往地上狠狠一砸，那清脆的玻璃碎裂声仿佛能让人心情舒爽。楼下的邻居很快上来提抗议，看见杜愚一双眼睛红得像恶狼，不敢招惹他，又回去了。好在最后杜愚终于喝光了所有的啤酒，也就没有更多的啤酒瓶可砸了。

夜深之后，他仍然醉醺醺地在屋里转着圈，并且觉得尿意盎然，而房间内并没有厕所。他做了一个此前他从来没有做过、甚至想都不敢想的事情：他打开了窗户，费力地踩着桌子站到窗户前，对着楼下开始撒尿。那一刻他觉得浑身舒畅，似乎一切的烦恼苦闷都可以随着这泡尿离开自己的身体。接着他倒在床上，沉入了没有梦的黑色睡眠。

第二天上午，他被电话吵醒，那是女歌手的经纪人打来的。

"稿子不用写了，"经纪人的声音一夜之间变得淡漠而遥远，"我们和她解约了。那本书不会出了。"

那本书不会出了，那本辛辛苦苦耗费了大量心血的、几乎是杜愚个人自传的书，不会出了。只需要一句话，就不必出了。而经纪人甚至连一句对不起都没有说。杜愚在头脑里回想着自己在这本书上花费的精力，以及对它所寄予的期望，他觉得自己越来越平静了，像冰块一样平静。人们总喜欢说压垮骆驼的最后一根稻草，现在这根稻草已经飘了起来，轻轻落在杜愚的背上。

杜愚镇静地挂掉电话，然后挎起自己的背包，更加镇静地把自己那把长长的水果刀塞进书包。然后他走下楼，走到大唐尘土飞扬的街头。这一天是个工作日，大唐的街头并没有太多的人，来来往往的大概都是杜愚这样没有工作的闲人。但他们的脸上都充满快乐和希望，并不担心自己今天没有工作，在他们的眼前，有无穷无尽的明天在等待，有无穷无尽的未来在伸展。今日的赋闲只属于今日，何不快乐一点去面对呢？

杜愚靠在一根肮脏的电线杆上，全身心地充满了羡慕，看着眼前的一切。然后他跳上公车进入到市区，在换了两次车后，来到一栋商住两用的高楼外。杜愚坐着电梯上到十四楼，来到一间挂着影视公司招牌的办公室，告诉人们他要找那位经纪人。人们指给了他经纪人的小办公室。

杜愚没有敲门，直接推门进去。经纪人从办公桌前抬起头看到他，脸上现出恼怒的表情，"你来干什么？我跟你说了，我们的合作已经结束了。你快点出……你要干什么？"

经纪人的腔调都变了，变得尖细而惊恐。他看见杜愚从挎包里掏出一个闪着寒光的东西，并且对准了他。他一跃而起，想要逃跑，但这间窄窄的办公室和室内宽大的桌椅让他根本无路可逃。三秒钟之后，他感到一个锋锐而冰凉的物体抵在了他的脖子上。瘦弱的杜愚在这一刻好像力大无穷，他用左手夹住经纪人，右手握刀，按在经纪人颈部的动脉上。他的眼睛就像在喷火，嘴唇轻轻颤动着，手上却决不放松。

"救命啊！"经纪人歇斯底里地嚎叫起来。

影视公司是这样一种地方，它自己的雇员未必有多少，但穿行在公司里的外人总是络绎不绝，谈合作的、试镜的、兜售剧本的。这家公司也不例外。杜愚走进去时，公司里已经有了很多人，所以接下来的场面也格外热闹。

人们涌进办公室，又赶紧退出去，看着杜愚左手揽住经纪人，右手拿一把水果刀逼住经纪人的脖子，一步步走了出来。他们并不认识杜愚，只觉得这个瘦瘦小小的年轻人看上去不大像是个凶徒，因为他脸上的表情并不是那种吞噬一切的悍恶，也不是那种蔑视一切的冷酷，而是莫名的混乱。他就像是一个梦游的人，虽然拿住了经纪人，却完全不知道自己想要干什么，应该干什么，眼神里充满了茫然。

"快报警啊！"经纪人从牙缝里挤出这几个字。但这几个字却让杜愚浑身一震，水果刀割破了经纪人的皮肤，让对方更是杀猪一样地尖叫。

这一声尖叫让杜愚似乎清醒了一点。我在干什么？他问自己，我想要干什么？而当他清晰地听到报警电话后，恐惧感终于从心底生起来。

我干了些什么？他觉得自己的手在发抖。这不是杜愚，不是那个常态下从来逆来顺受，一辈子没打过架的杜愚。他做梦也没有想到过自己有一天会拿着刀威逼一个人，最可怕的在于，这不是梦，而是真实的。真实的杜愚握着一把真实的水果刀，胁迫了一个真实的人。

我该怎么办？杜愚又陷入了茫然。人们看他的眼光就像看一头野兽。他已经被从人群中剥离出来，成为一头危险的野兽。

经纪人已经吓得快要晕过去了，但显然他的受欢迎程度并不高，因为在周围的人群中，隐隐可以见到幸灾乐祸的表情——这一幕说不定是很多人早就盼望着的。杜愚更加觉得荒谬：我到底做了些什么？在一个热得让人窒息的夏天，拿着一把刀去挟持一个人，是夏天让我热得发疯的么，还是我早就已经疯了？

杜愚觉得胳膊很酸很累，目光漫无目的地扫视着周围，那些或惊讶或恐惧或好奇或窃喜的面孔，慢慢开始扭曲变形。杜愚看到了妈妈的脸。

如果时光能够倒流

陈非生病后，苏小麦在网上阅读了几百篇与之相关的帖子，最后得出的结论是，想要治愈心脏神经官能症，就必须要忘掉自己得了这种病。因为这种病越想越厉害，不想可能反而会没事。

说来容易做来难，很少有得病的人不去想自己的疾病，尤其对于陈非来说，几乎每一秒都无法驱赶尽那种念头，所以他的康复速度很慢。但这一天下午，他在很长一段时间内真的忘了自己有病，因为他顾不上想别的。

他不断地拨杜愚的电话，而杜愚始终不接。在这个过程中，警车已经鸣笛开来了。警察们迅速清理现场，赶开看热闹的人群，一面派人上楼去劝说，一面紧急调来消防队的气垫。但那可是十四楼啊，陈非很难相信气垫能够起到作用。

而他也从办公室下来的人那里大致听到了事件的全过程。凶犯（就是杜愚）用水果刀架住了经纪人，人们警惕地注视着他，不断用各种话语劝说他不要冲动，但他始终一副恍恍惚惚的表情，仿佛什么都没听进去。最后一个女职员说："你就算不为自己想，也得替你的父母想想啊！你要是一冲动酿成大罪，你想想你妈妈会有多么难过？"

那只是办公室的人们乱糟糟几百条劝诫中很平常的一条，但不知怎么的，该凶犯听完这句话，就像中了邪一样，一把推开经纪人，冲了出去。鉴于他的手里握着亮闪闪的刀子，人们自觉地让开一条道，没有人去拦阻他。

后来人们看到他冲到了电梯门前，但两部电梯都还离得很远；他又跑向了楼梯，楼梯上此时正有一个清洁工在打扫卫生。凶犯似乎是有点惊弓之鸟了，见到这个毫无威胁的清洁工，也并不敢冲过去。终于，他爬上了窗户，身子骑跨在窗台上，绝望地喊道："你们都别过来！"

这的确是入夏以来最火热的一个夏天，鸣蝉在树上令人烦躁地拼命叫嚷，空气仿佛要在毒辣的阳光下沸腾开来。但陈非过分紧张，竟然一滴汗都没有流出来，他觉得自己已经有点中暑的征兆。这时候警察们在一起商量对策，他想了想，主动走了过去。

"请让我试试劝说他，"陈非说，"我是他的朋友。"

几分钟之后，陈非已经来到了十四楼，大楼里的凉爽让他精神一振。他走向窗口，听到杜愚歇斯底里地嘶吼："别过来！"

"是我！"陈非说，"是我，陈非！我可以过来和你说几句话吗？"

杜愚沉默了一下，"好吧，你过来吧，但不要靠太近。"

陈非小心翼翼地走近，在距离杜愚大概三米远的地方停下来,"你这到底是要干什么? 快把刀子扔掉下来吧! "

"我已经完蛋了,"杜愚摇着头,"下来又怎么样? 不下来又怎么样? "

"你怎么那么糊涂! "陈非很无奈,"这样做除了毁掉你自己,还能怎么样? 你已经错了,别错得更深,下来投降吧。"

"投降"这个词用起来似乎很滑稽,但也没有更好的词可以替代。杜愚微微一笑,"我已经投降了啊。"

"什么? "陈非不明白。

"我已经投降了。"杜愚似乎笑得很舒心,转头看着楼下。在那里,巨大的气垫已经充气展开,安全距离外挤满了事不关己的人群,抬着头指指点点。也许他们中的很多人都在盼望着杜愚赶紧跳下去——那样才刺激有趣,能给他们更多的谈资,来打发闷热无聊的夏夜。

杜愚又看向远方,灼热的空气中仿佛连光线都弯折了,赤红的烈日下,高楼林立,反光玻璃闪耀出刺眼的金光,北京城仍然平稳有序地走在属于自己的轨道上,大树般地向着阳光的方向生长。每一天都有无数人来到北京城,每一天都有无数人离开北京城,但这些对北京城不会有丝毫的影响。这座城市屹立在这里,是一个甜美的诱惑,也是一个危险的陷阱,来到这里的人们谁也无法预料前景如何。杜愚刚刚来到这里读书的时候,曾经为北京的宏大气象而深深感染。他爱上了这座城市,不想再回到自己破落的家乡,为此他努力了那么多年,却最终落到这样的下场:骑在十四楼的窗台上,被一群警察要求立即投降。

北京啊！杜愚充满留恋地感叹着。即便这座城市什么都没有给过他，他还是无法硬起心肠去恨它。北京是冷酷的，但正是这种冷酷才给它增添了无穷的魅力。

我的北京……杜愚几乎连眼睛都不想眨，想要在这一刻把视线中所能见到的北京全都牢牢印刻在心里，但他的视界所能及，仍然只是北京极小的一隅。最后他只能遗憾地叹口气，北京的影子渐渐淡去，母亲的面容从心底浮现出来，压倒了一切。他的眼泪也终于流了出来。真的就像我总是在做的那个梦啊，杜愚想，无论站得多高，我都无法看清北京的存在，最后只能被那些模糊的灯火所吞没。

"我已经投降了！"他的脸上流满了泪水，对陈非说，"北京，我投降了。"

陈非猛地冲上前去，但还是晚了一步。杜愚的身体就像一块沉重的石头，从十四楼的高处急速下坠。陈非探出右手，却一把抓了个空。他只听到楼下的人群发出整齐的惊呼，夹杂着女人刺耳的尖叫，接着是一声沉重的钝响。这一声钝响重重砸在了陈非的心脏上，引起一阵剧烈的悸动。他像棉花一样软倒在地上，眼前明亮的一切瞬间化为黑色，心脏欢快地跳过了一百八十次。

陈非在医院输了一天液，心脏才算回复正常，回到了家里。苏小麦担心他受到的打击太大，请了两天假在家里陪着他，但他几乎一言不发，不管苏小麦怎样劝慰，什么话都没说。杜愚的后事还有一大堆乱七八糟的需要解决，胡二、老宋等人都去帮忙，陈非病况沉重，只能待在家里了。

杜愚死了，就死在眼前，这让陈非怎么也不敢相信。大学时代仿佛只是一眨眼之前的事情，大家都还那么年轻，结伴横行于航院的每一处角落，脸上的每一颗青春痘都洋溢着生命的活力，但一眨眼之后，杜愚死了。

死亡曾经是那么遥不可及的事情，等到发生在身边的时候，人们才会发现，其实死亡离得是那么的近。陈非想起自己遭遇过好几次的那种濒死感，又想，死亡也没什么可怕，倘若真的发生了，不过是一瞬间的事。当思考着生死的事情时，他开始觉得身边的那些烦恼变得微不足道了，人生有足够多的痛苦让人去品尝，却都只能在死神面前黯然失色。

陈非回顾着杜愚的一生，发现很难从其中发掘出什么亮点。他的一生都在用尽全力拼命，可他的对手太强大，根本对他不屑一顾。最终杜愚只是一个战风车的堂吉诃德，被风车打得遍体鳞伤，颓然倒下。

如果我劝他的时候能再狠一点……陈非不断地冒出这个念头。虽然他很清楚，无论多狠也不可能劝回杜愚，但他还是固执地这么想着，似乎这种自责能够消减一点失去杜愚的疼痛感。

假期的第十天晚上，也就是杜愚死后的第五天晚上，陈非开始准备正装。苏小麦很奇怪，"你要干什么？"

"我请的假到期了，明天该上班了。"陈非说。

"可是你的心脏……"

"死不了，大夫说了，这病就是让你难受着，但想死都

263

死不了，"陈非说，"所以我还是去上班吧。"

苏小麦没有再多说。过了一会儿，她看着陈非的眼睛，缓缓开了口："我觉得你好像还有什么话想要对我说。"

"我昨天取了两万块钱，让胡二转交给杜愚他妈，就说是别人欠的稿费，"陈非说，"杜愚他妈得了癌症，需要钱治病。"

"你做得对。"苏小麦毫不犹豫地说。

"可是我们的房子……就更加没有希望了，"陈非说，"而我也根本不愿意再去想它了，你明白我的意思吗？"

"你到底想要说什么？"苏小麦皱皱眉头。

陈非深吸了一口气，"我们分手吧。"

他其实还准备了很多铺垫的话，比如"不能为了我让你真的和你妈断绝关系"，比如"我不想再拖累你了"，但看着苏小麦过于平静的面容，那些准备好的话竟然一句也说不出口，而只剩下了这五个字。

我们分手吧。

"你真的想明白了吗？"苏小麦淡淡地问，"如果你彻底想清楚了，那我也没什么好说的。"

陈非一阵犹豫，心里像刀割一样疼痛，迟迟说不出话来。但最后，他还是艰难地点点头。

"今晚我去和李萌挤一晚上，"苏小麦说，"明天我就回家去。"

"嗯，去相亲。"陈非点点头。他还想说几句俏皮话，比如"希望他别像我那么肥"之类，却仍然说不出口。和苏小麦分手，对陈非而言，就好像撕开正在结痂的伤口，那是一种血淋淋的剧痛，足以让人痛得说不出话。

这一整夜陈非没有睡着一分钟，枕头和被子上，苏小麦的气味在淡淡围绕。天蒙蒙亮的时候，他听到李萌的房间传来房门的轻响，他所熟悉的脚步声走出来，开门走出去。他竖起耳朵，一直听到那脚步声下楼消失不见，然后他把头埋在枕头上，自从十二岁之后，第一次呜呜咽咽地哭起来。

天亮之后，泪痕也干了，陈非洗干净脸，强撑着出门去上班。处长见了他，非常热情地打个招呼，关怀一下他的病情，却并没有说半句工作上的事，以至于陈非坐在位置上无事可做。陈非找同事询问，才知道今天下午就是竞聘会，也就是说，从处长的脸色来看，自己留在公司的时间只有半天了——处长的凶悍只针对他认为有用的人，当他觉得陈非已经没用的时候，才可能如此和颜悦色。

他早有心理准备，开始慢慢整理自己的工作文档。虽然要离开公司了，他也并不希望留下一个烂摊子，毕竟那些他参与过的展会都有他的心血在其中。

这时候他才发现，虽然在公司待了那么些年，也私底下抱怨了那么多年，但他还是挺喜欢这个公司的。他回想起自己刚到公司的时候，处里的胡大姐——就是切除子宫的那位——挺高兴地带着他走遍整个公司，对着所有人嚷嚷："来认识认识！我们处新来了个小伙子！这下我们处的平均年龄那可就直线下降了！"他回想起公司为了欢迎他而搞的那次聚餐，他没喝醉，二处的处长喝醉了，出门迎头撞在一辆停在路边的大巴上，他揉揉额头，当即一巴掌拍在车厢上，"你怎么开车的？"他回想起公司组织过的几次乱七八糟的运动会，那些中年人甚至老头老太太居然都有不俗的发挥，至少在乒乓球上能把他打得灰头土脸。

他还想起认识苏小麦之前，有一次周末到办公室去上网打发时间，招全公司人讨厌的办公室主任居然也在。办公室主任悄悄要陈非教他怎么用网络视频，这样他就可以经常看到他在澳大利亚读书的女儿了。

"以后我介绍我女儿和你认识！"办公室主任挤着眼睛，一副招女婿上门的得意笑容。

他甚至想起了被所有人嘲笑的老罗。有一天下班的时候，他不知怎么的开始胃疼，趴在办公桌上哼唧了好一阵子，这时候居然是老罗替他打了一杯热水，给了他两片胃药。

"年轻人要照顾好自己的身体，"老罗说，"什么都不如身体重要。"

陈非一点一点回忆着。他发现这家公司一直以来给他留下的各种恶劣印象，曾经是那么深刻地印在他的记忆里，以致他每次聚会都会向朋友抱怨："那个狗日的破公司！"而现在，这些东西他都想不起来了，能想起的都是温暖的、带着香味儿的片段。

前一天他接到了一个电话，是一位北京做宠物用品的客户打给他的。这位客户跟随着陈非去了纽伦堡参展，对他甚为赏识，希望陈非能去他的公司工作，薪水比在这家国企高得多。陈非没有立即答应，但心里已经答应了，因为离开展览公司似乎是板上钉钉的事实，似乎应该及早准备好备胎。但现在，他忽然又开始动摇，他觉得自己在公司混了那么多年，并没能做出一笔赚钱的好业务来，就这么灰溜溜离开，有些对不起自己。他一向觉得自己屈身于这家看上去没太大前途的公司，是为了一个北京户口而束缚了自己的才华，然而此刻想起来，自己并没有尽全力去施展所谓的才华，而只是在无穷无尽的抱怨中虚度了一年又一年。

一阵强烈的悔意涌上心头。陈非发现，得这场怪病也并非全都是坏事，就像他对阿力所说过的，塞翁失马焉知非福。当人们面对死亡的威胁时，反而能冷静思考生命的意义，想通了这一点，很多过去觉得很了不得的东西就变得不那么重要了。

竞聘会在下午三点开始。首先是老板致辞，阐述此次竞聘会的重要意义，然后是各部门负责人的竞聘。这一流程中，两个业务处和办公室都没有丝毫的意外，仍然是原有的两名处长和办公室主任各自选择各自的岗位，没有任何竞争者，完全就是走过场。设计处的负责人则产生了真正的竞争，原来的处长在过去两年都没能创造出好的效益，老板早就想把他拿下，所以这一次扶植了原来的副处长去竞聘这个位置。

神仙们打完架之后，轮到小鬼们发言，说辞无非大同小异，我一向工作认真积极、爱岗敬业，希望还能继续在岗位上发挥作用云云。几名已经猜到自己要被炒掉的员工则明显心不在焉，随口应付，大概已经在思考未来的出路了。

最后轮到陈非。同事们看向陈非的眼光包含着同情和怜悯，毕竟公司是一种流言满天飞的地方，几乎人人都知道陈非要被炒掉了。陈非环顾一下周围，慢慢地说："我要说的话很短，只有两条。第一，我很早就知道我会被炒掉，所以我压根没有准备这次竞岗，而且已经给自己找好了后路。"

这个过于直白的开场让所有人都吃惊不小，处长的脸色尤其难看。陈非顿了一顿，话锋一转："第二，今天在收拾东西准备滚蛋的时候，我忽然发现一件事：我对这个公司有感情，也对过去的自己有些失望，我觉得我应该能做得更好。我不想放弃它，不想放弃证明自己的机会。所以我继续竞聘一处的岗位，希望还能在这里，和各位同仁一起工作下去。我讲完了。"

人们面面相觑，眼神里都多了一些复杂的含义。陈非说完话之后，只觉得心情舒畅，胸闷都缓解了很多。去你妈的，不管怎么样，该说的话我都说出来了，之后的事情随你便。

然后他又想起了点什么，这样难得舒畅的心情让他很难禁得住不去思考某些事情。他靠在椅子上，对于老板的总结陈词没有听进去一个字，双手始终无意识地抓握在一起，几乎快要把手指头绞断了。熬到竞聘会结束（结果将在两周后公布，虽然事实上真正的结果在竞聘会之前就已经决定了），他第一个冲到走廊上，掏出了手机。

他开始给苏小麦打电话。

但苏小麦的电话一直提示"用户已关机"。陈非锲而不舍，每隔十分钟拨一次，从下午一直拨到晚上，始终都是关机提示。他猜想可能是刚一回家太后就逼迫苏小麦换了手机卡，但这并不一定意味着苏小麦不会在某些特定时段把北京的卡再换回去。苏小麦在很多时候相当糊涂，但在某些特定时段又偶尔会显露出令人惊讶的聪慧。现在陈非只能烧香拜佛，指望着这个特定时段闪现在苏小麦的身上。

他连续拨了好几天电话，拨到最后不得不像苏小麦那样准备三块电池带在身上。与此同时，处长对他的态度产生了相当的转变，又开始给他派活，并且又开始摆出他的臭脸，这是一个积极的信号。但陈非情愿这些信号都去见鬼，只要他能打通苏小麦的电话。

他发现自己已经无法习惯一个人待着的日子，连窄小的房间都突然间显得空旷起来。苏小麦走得急，很多东西都没有收拾，仍然在固执地占领着屋里所有的平面。陈非穷极无聊，在打电话的间隙慢慢整理那些物件，几乎每一件都能牵出一些与苏小麦有关的记忆。

苏小麦有一个响得吓死人的老式发条闹钟，大约是上世纪七十年代的产物，比苏小麦和陈非的年纪都大，闹起来好像癫痫发作。虽然有这个闹钟仍然不能保证她不迟到，但离开这个闹钟她一定会迟到。陈非生病后，因为怕闹钟的声音刺激到心脏，苏小麦没有再给它上条，所以它也停止了滴答，仿佛是把过去的时间凝固在了那一刻。

现在陈非手里捧着这个闹钟，思考着和时间有关的命题，忽然就很盼望着时光能够倒流。如果时光倒流，他会更加用心地工作，为公司拓展业务，为自己增加收入；如果时光倒流，他会努力锻炼身体，使自己不至于爬个长城都累到瘫痪；如果时光倒流，他会放宽心思，不要总在心里藏那么多事，以至于患上该死的心脏神经官能症；如果时光倒流，他甚至愿意在航院好好上大学物理课，而不至于给学校贡献那么多补考重修费……

但最重要的是，如果时光能倒流，他绝不会对苏小麦说"我们分手吧"，这件事刚刚过去不到一天他就开始后悔，在这之后的每一天，这种后悔都会增加十倍。他用冷若冰霜的理智做出了决定，却又立即融化在情感的火焰中，并且再也无法凝聚起一点点那可怜的理智。

北京城已经进入盛夏。每天早上四点钟天就会亮，不久之后，太阳的热度开始缓缓聚集，就像一个巨大的烤灯，温柔地焙烤着城市的每一处角落。到了这个季节，遍布全市的大大小小的写字楼都开始疯狂地运转中央空调，把热气排放到街道上，使城市更像一个无所不在的蒸笼。

陈非提前了上班时间，以免在公车里挤作一团时正赶上朝阳开始发挥热度，那让他感觉自己是烤箱里的一块肥肉。而离开单位的时间也相应延后了，这样回家时暑气能稍微散掉一些。在这一过程中，他仍然每天上百遍地拨打着苏小麦的手机。非常奇怪，这一过程占据了他大部分的注意力，令他很少去注意心脏的种种状况，以至于病都恢复了不少。

"你要是把那种专注力分十分之一给大物，你就不会需要我救命了。"后来胡二评价说。

更奇怪的是，虽然专注，但陈非一点也不焦躁、焦虑、惶恐不安。也许因为这是他的最后机会了，而且是完全没有其他后路的机会，所以他反而能把多余的情绪全部抛开——这又是对病况有好处的改变。他所要做的就是一遍又一遍地拨打电话，从早上到晚上，从电池满格到彻底没电。假如苏小麦十年没有接到他的电话，他大概会持续拨上十年。

幸运的是，根本用不着十年，又过了一星期之后，苏小麦终于把卡换回到手机里了。当听到苏小麦"喂"的一声时，陈非才陡然感觉到心脏的剧烈跳动，假如这时候他身上带上一个测量脉搏的仪器，搞不好仪器都要被弄坏。

他有很多话想要说，比如"你终于接电话了""我错了，我们不要分手吧""我给你拨了整整一星期电话，从早拨到晚"，但最后脱口而出的却是一句平淡到极点的话："什么时候回来？"

苏小麦的回答也很平静："我已经上车了，今天晚上就到。"

"要去接你吗？"

"不用了，打个车就回来了，"苏小麦说，"给你带你最喜欢的车站旁边的那家煎鸡饭。"

两人挂掉电话，好像之前什么事都没发生过。真的好像什么都没发生。

苏小麦晚上回到家，果然给陈非带了煎鸡饭。陈非把煎鸡饭扔到一边，恶狠狠地给了苏小麦一个熊抱。

“行啦我喘不过气来啦！”苏小麦大喊，“骨头都要断啦！”

陈非这才松开手。苏小麦托起陈非的脸，左看右看，“还好，瘦了一点。”

“为什么还好？”陈非不明白。

“说明你这个王八蛋的良心还没有被狗吃光，”苏小麦严肃地说，“要是老娘不在你反而长胖了，我就一脚踹到你断子绝孙。”

“回家怎么样？”陈非问。

“相亲呗，还能怎么样？”苏小麦耸耸肩，“老太婆真不得了，一天安排三场，从日出到日落，累死我了。”

“有什么值得一提的对象么？”

“有帅的，有有钱的，有又帅又有钱的，”苏小麦说，“然后每天晚上老太婆就开总结会，对象甲的优点是什么缺点是什么，对象乙的好处是什么坏处是什么。反正老太婆就是死缠着我，搞得我花了一星期才找到机会。”

“什么机会？”

“偷东西的机会。”

陈非彻底糊涂了，“偷东西？偷什么东西？”

苏小麦狡黠地一笑，打开了扔在桌子上的随身提包，从里面摸出一个小本子。陈非凑过去一看，“户口本？”

“这年头得有户口本才能结婚嘛，”苏小麦噘着嘴，“麻烦死了。”

陈非的心脏又是猛地一抽，但他很清醒，知道自己的耳朵很好，绝对没有听错。他回想起了前一段日子里苏小麦从心神不宁到石头落定的过程，明白了苏小麦一直以来心里想的是什么。他陡然间觉得充满了幸福感，而这种幸福会常驻心间，不会因为时间的流逝而消失。这样的幸福，大概就是所谓爱情吧。而有了这样的幸福，陈非发现自己的勇气仍在，能够面对任何困境，不管是太后、老板还是心脏，他都不再畏惧。

"可回头你怎么向太后交代？"陈非想起这个关键问题。

"她再想生气，也只能由着她了，"苏小麦很坚决，"她总不能替我活。"

现在，咱们俩来拼一拼吧

苏小麦对陈非说，她一直都在梦想着自己的婚礼究竟会是什么样，这个梦从小学时代就开始做起。这种说法无疑有点夸张，但她的确曾经给陈非列出过一个长长的清单，上面说明了她所喜欢的每一种婚礼的方式。陈非读完之后，叹为观止地倒抽一口凉气，"您可以直接告诉我您不喜欢的婚礼是什么样的么？"

"其实……婚礼我都喜欢，"苏小麦低垂着头，很像陈非小时候偷偷溜进游戏机房被逮住的样子，"要不以后我们每样都试一次？"

"现在就杀了我吧！"陈非呻吟着。

而现在，婚礼的计划不得不无限期延后了，什么时候能举行婚礼着实说不准，至少得看太后什么时候能消气。陈非只是在后海请了一帮朋友喝喝酒聊聊天，算是昭告天下。没有人因为杜愚刚去世而陈非就结婚而责怪他，因为谁都知道这桩婚姻来得多么不容易。

"接下来你们打算怎么办呢？"老宋问，"一辈子躲着太后？"

"反正生米已经煮成熟饭了，"陈非说，"过段日子我和小麦一起回去，算是负荆请罪。该面对的事情迟早都要面对，躲不过的。"

他把脸转向王小骚，"小骚，日子定了没？你这顿酒逃不掉，我连礼物都准备好了！"

王小骚腼腆地一笑，"大概会定在十一的时候吧，大家都要来啊。胡二，你呢？"

胡二一摊手，"我们不着急。以后留在哪儿都还不定呢，需要通过家庭会议进行协商。"

"怎么回事？你们不想待在北京了？"陈非问。

"是他不想留，"黑色枪骑兵说，"他们公司要把他派驻到外地，碰巧是他老家，他就想在那里长期安顿下来，还想我也过去。"

"那你怎么想的？"陈非问。

"我当然要留在北京，没说的。"黑色枪骑兵脸上带着笑容说。胡二在一旁偷偷给陈非挤眼睛表示无奈。

胡二肯定有自己的判断，陈非想。他一向是个聪明的人，无论是陈非的窘境，还是杜愚的惨剧，都一定让他触动到了些什么。而黑色枪骑兵显然是执拗的，不会轻易放弃她的北京梦想。这两个人大概会有一番非常激烈的争吵，但无论如何，不同的人有不同的选择，而只有选择相同的人才能最终走到一起。胡二和黑色枪骑兵或许会彼此妥协，或许会水火不容以至于分道扬镳，但不管是怎样的结果，都只是各自内心的选择。

这就是北京啊，陈非摇晃着手里的杯子，耳朵里传来的净是后海的喧嚣——这里是一个消夏的好去处。但北京不只有喧嚣的后海，也有热闹的大唐；不只有林立的高楼，也有潮湿的地下室；不只有衣着光鲜的白领，也有无数啃着馒头翻看着招工指南的人。北京柔软而刚硬，善良而残忍，温情脉脉而冷酷无情，它能改变一个人毕生的命运，却永远不为任何人的命运而做出改变。这就是北京的真相，勘破了这个真相，就可以坚定地做出自己的选择了。

　　他想起若干天前公司公布竞聘结果时的情景。处长冷着脸拍拍他的肩膀，"真要炒了你，我还有点舍不得，你是个人才，好好干吧。"于是人才续约留下。

　　狗屁人才！陈非在心里想，纵然曾经有过那么一点才情，也早就被消磨掉了。现在的陈非只是一个正在康复的病人，想要把一些陈旧的东西连同他的病一起扔掉，以便能做一个对家庭负责的男人，和自己的老婆一起在北京好好活下去。仅此而已。

　　兴尽而归的时候已经是深夜，但后海依然灯红酒绿，人头攒动。一群人穿过弯弯曲曲的小巷，来到大路上，等着出租车。老宋自己有车，开着车先回去了，用他的话来说，得去给儿子换尿布了。

　　老宋的车开出去几米远，却又停了下来。窗户摇下，老宋探出头来，冲着陈非说："喂，拉斯蒂涅，还记得当年我们的话剧么？"

"当然记得。"陈非说。

"最后一句台词送给你！"老宋说完，一溜烟开车走了。陈非回味着他说的话，嘴角浮现出一丝含义复杂的微笑。

"他说的是什么话剧？"苏小麦不解，"什么最后一句台词？还有拉斯蒂涅是什么意思？"

"没文化真悲哀！"陈非拍拍苏小麦的脑袋作怜悯状。其实他挺心虚的，论"没文化"程度，他和苏小麦堪称半斤八两大哥不笑二哥。至于话剧，他原本也对此类高雅艺术完全不感兴趣，老宋等人在学院里张罗话剧社的时候，他本来压根没打算参加。后来他报了名，是因为他喜欢的一个姑娘也加入了，并且当了社长。

怀着这样毫不高尚纯属利己的动机，陈非居然在话剧社所排演的第一出戏剧中混上了主角，说明他天生就有几分表演天赋。该戏剧参加了当年北京市的大学生话剧节，还得了个小奖。后来陈非喜欢的这位社长交了个男朋友，陈非意兴索然，退出了话剧社，社长甚为遗憾，觉得一代奇才就这么被埋没了。

老宋所说的就是这一部话剧，名字叫《高老头》，当然是改编自同名世界名著。当时为了增加演员们对角色的了解，社长强迫大家都去阅读了《高老头》的原文。对于陈非这种只喜欢看漫画的人来说，去读正经的文学书籍实在很难熬，简直和看大学物理差不多。于是他采取了讨巧的办法，找文学青年杜愚给他讲了整个故事以及相关评价，然后重点阅读了小说的开头和结尾。之后社长问起读书心得，陈非以点带面，大赞该小说的结尾含义深刻，寓意无穷，颇得社长赞许。所以直到现在，对读书基本没什么兴趣的陈非都还记得《高老头》的结尾，而老宋所说的最后一句台词也包含在其中：

拉斯蒂涅一个人在公墓内向高处走了几步，远眺巴黎，只见巴黎蜿蜒曲折地躺在塞纳河两岸，慢慢地亮起灯火。他的欲火炎炎的眼睛停在王杜姆广场和安伐里特宫的穹隆之间。那便是他不胜向往的上流社会的区域。面对这个热闹的蜂房，他射了一眼，好像恨不得把其中的甘蜜一口吸尽。同时他气概非凡地说了句：

"现在，咱们俩来拼一拼吧！"